Nos baisers sont des adieux

DU MÊME AUTEUR

La Voyeuse interdite
roman, Gallimard, prix du Livre Inter 1991
Prix 1537 de Blois, 1991
« Folio », n° 2479

Poing mort
roman, Gallimard, 1992
« Folio », n° 2622

Le Bal des murènes
roman, Fayard, 1996
J'ai lu, n° 9015

L'Âge blessé
roman, Fayard, 1998
J'ai lu, n° 9165

Le Jour du séisme
Stock, 1999
Le Livre de Poche, n° 14991

Garçon manqué
Stock 2000
Le Livre de Poche, n° 15254

La Vie heureuse
roman, Stock, 2002
Le Livre de Poche, n° 30055

Poupée Bella
Stock, 2004
Le Livre de Poche, n° 30384

Mes mauvaises pensées
roman, Stock, 2005, prix Renaudot 2005
« Folio », n° 4470

Avant les hommes
roman, Stock, 2007
« Folio », n° 4826

Appelez-moi par mon prénom
roman, Stock, 2008
« Folio », n° 5034

Nina Bouraoui

Nos baisers
sont des adieux

Stock

ISBN 978-2-234-06188-0

À Anne F.
À Annabelle D.

Le désir n'est pas isolé. Il est multiple et secret. Il est par les autres et pour les autres.

Je me suis raccordée aux hommes, aux femmes, aux objets et aux images qui ont construit la personne que je suis.

Il n'y avait aucun intrus, aucun jeu de rôle, aucune image qui s'interposait. Il n'y avait aucune force ou soumission, aucune mise en scène ou décor, aucun secret. Nous jouissions de l'une et de l'autre, ensemble et subjuguées.

À chaque fois je me demandais s'il était possible d'en faire le récit, s'il existait des mots, une narration du plaisir, ou si la jouissance échappait au langage parce qu'elle était un abandon de tout.

LA CHOSE, PARIS 1978

Une chambre prêtée, pour dix jours, l'été, à Paris. Une chambre qui devenait à moi, à force d'y vivre. Une chambre qui ressemblait à un ventre et qu'il m'était difficile de quitter. À cause de la chose. Je ne savais pas qui décidait de nous deux. Nous formions un couple. Je ne savais pas qui choisissait l'autre. Je ne savais pas qui répondait à l'autre non plus. La chose planait au-dessus du sol, ne demandant qu'à monter jusqu'à moi. Je planais au-dessus de ma vie, ne demandant qu'à l'inventer. Je la nommais la chose parce que je ne savais pas si elle était réelle ou non. Si elle provenait d'un rêve ou d'un songe. Elle arrivait quand je m'endormais ou au réveil. Elle profitait d'un état de conscience amoindrie. Elle s'infiltrait, se trouvant à chaque frontière du jour et de la nuit. Parfois je pensais que la chose venait de moi, de mes forces et de mon désir permanent. Je pensais qu'elle venait de ma peau. Qu'elle se dégageait de mon corps pour exister à côté de moi. En fait, je pensais qu'elle se libérait de moi dans la chambre. Je considérais la jeunesse comme un surplus. La chose en faisait partie. Elle était partout ma jeunesse. Elle était envahissante. Dans la rue, chez le marchand (expression de l'époque), dans l'appartement. Je devais la retenir. C'était l'empire du corps cette jeunesse. Le désir m'obsédait. C'est lui qui engendrait la chose. Et c'est la chose qui l'engendrait. Nous étions en circuit fermé. Si je voulais me la représenter par un schéma, je traçais des lignes parallèles entre lesquelles se tenaient un homme ou une femme. Je ne savais pas de quel sexe était la chose. Elle était tout et elle n'était rien. Je ruinais mon été en un seul jour, pensant que je tombais enceinte d'elle. Observant mon ventre tous les matins. Me plaignant de vertiges et de nausées. Je considérais la chose comme une folie. Une vraie folie. J'avais en moi des images de pierres (souvenir d'une pochette de disque) et de cristaux qui brillaient sous ma peau comme si je portais une trace de celle ou de celui qui m'avait étreinte durant mon sommeil. La chose était devenue indispensable à ma vie.

Le dernier jour de mes vacances, j'ai ouvert le placard qui se trouvait derrière mon lit. On avait laissé la clé dans la serrure pour me montrer que j'étais une personne digne de confiance. J'ai découvert une carabine et dix exemplaires du magazine *Lui* numérotés de vingt-deux à trente et un. L'arme posée sur mes cuisses, je fixais les femmes dont on avait enduit la peau d'huile afin de révéler les muscles par reflets. Les corps marchaient à l'intérieur du papier. Je cherchais le visage de la chose, devant ou derrière l'objectif. Une apparition. Puis j'eus l'idée que la chose était un œil qui me regardait dormir, marcher, me laver. Un œil qui aurait pu être ma conscience. Mais il n'y avait aucun lien avec le jugement ou la morale. Je ne me sentais pas jugée par la chose. Je me sentais dérobée. Elle volait mon image et ce que je cachais à l'intérieur de moi, mon désir, mon envie de me donner du plaisir et de me délester des forces. Je n'avais pas honte d'être vue. La chose faisait, en quelque sorte, partie intégrante de moi.

Les femmes, nues, à cheval sur une chaise, en extension, allongées sur un canapé ou priant à terre, se joignaient à l'arme que je tenais contre moi ignorant si elle était chargée ou non. J'étais excitée par la situation, parce que je la vivais seule. Personne ne pouvait imaginer la scène que je venais de dresser. Mon corps, la carabine, le lit, les magazines. La scène que je formais aurait pu être filmée ou photographiée dans le sens où elle allait plus vite que la réalité. Il fallait la saisir parce qu'elle était marginale comparée aux images de mon été que je nommais les choses simples : les rues de Paris, les cinémas, les vitrines, les marronniers, le métro, les touristes au guichet du musée de l'Homme. J'avais dressé une scène qui dépassait ma vie, répondant à la chose qui vibrait dans ma chambre et s'allongeait près de moi sans me toucher.

Elle était en bronze, posée sur un socle, son poignet était piqué d'aiguilles. Elle avait pour légende *L'Amour*. Il s'agissait de la main gauche. La main du cœur. Celle qui ne serrait pas l'autre main. Celle qui se posait sur le ventre, le front, au creux de la poitrine. La main qui cherchait la fièvre. La main qui essuyait les larmes et distribuait les baisers. Ce n'était pas la main qui jurait mais la main qui promettait.

Il y avait des aiguilles au poignet parce que dans l'esprit de chacun l'amour ne se défaisait jamais de la souffrance.

ESTHER, PARIS 1994

La brûlure n'était pas grave mais il ne fallait pas la laisser s'installer, prendre sa place sur mon visage, le marquer, parce qu'il ne fallait rien laisser sur le visage qui était le territoire de la douceur, un visage c'était ce qui disait de soi, un visage c'était toute la vie contenue et même si ce n'était qu'une jeunesse qui tenait là, c'était déjà une histoire et une histoire c'était à chaque fois un début d'amour, et l'on ne pouvait pas brûler les traces de l'amour, disait Esther, parce que c'étaient comme des filaments qui pouvaient donner naissance à d'autres débuts et ne pas soigner son visage, c'était abîmer son avenir ou ses souvenirs amoureux. La peau du visage était sacrée. S'y donnaient tous les baisers.

Il était cinq heures et demie du matin. Elle connaissait deux pharmacies à Paris ouvertes la nuit. Celle des Champs et celle de Clichy qu'elle préférait éviter. Esther disait qu'elle avait déjà eu plusieurs morts, comme d'autres avaient déjà eu plusieurs vies, mais que ce n'était pas pour cette raison qu'elle en savait plus sur l'existence, sur les chemins à suivre ou à ne pas suivre. Elle n'en avait tiré aucune leçon. Aucun enseignement. La *dope* (c'était son mot) l'avait enfermée dans un corps métallique. Tout était devenu dur en elle. Ses os des broches, son sang de la pierre. Elle se sentait comme un objet. Et parfois moins qu'un objet. L'amour n'existait plus depuis longtemps, le plaisir non plus, mais elle avait l'espoir que sa peau ait gardé un filament qui donnerait un jour naissance à un amour, petit ou grand, ce n'était pas important, en tout cas qui donnerait naissance aux sentiments. Elle ne sentait son cœur qu'après le *flash*, mais jamais *à sec*. Jamais pour une personne. Un homme ou une femme. Elle était sans émotions, grillée de l'intérieur. Elle disait s'être piquée toute seule. Elle avait la main. Et cela l'ennuyait. L'habitude et l'absence de peur. Elle plongeait seule, d'un monde à l'autre, espérant ne jamais revenir dans le nôtre. Elle arrivait à la limite de sa vie. Elle voulait partir. Mais elle revenait. Toujours. Ce n'était pas de la chance. C'étaient les événements de l'existence qu'elle comparait aux vagues scélé-rates. On ne savait jamais ce qui pouvait venir, arriver. Jamais.

Il y avait une pharmacie sur les Champs, dans une galerie marchande. C'était différent de Clichy. C'était encore de la violence mais une autre violence. Une violence à laquelle elle savait répondre. Je ne devais pas avoir peur. Elle avait l'habitude. Elle disait savoir me pro-téger en cas de problème. Elle était armée. Je n'avais qu'à ouvrir la boîte à gants si je ne la croyais pas. Elle n'avait pas honte de cela. De *détenir* une arme. Elle disait que c'était un petit calibre mais qu'il pouvait faire de jolis dégâts. Quand elle a dit jolis, elle savait que cela n'allait pas avec le mot dégâts. Mais elle n'a rien ajouté. J'ai pris l'objet noir dans ma main. C'était lourd et épais. Après, j'ai eu l'image d'un sexe d'homme. Après, la peur est montée. J'ai pensé que c'était l'objet que je détestais le plus au monde. Et que c'était rare de pouvoir en tenir un dans sa main. Puis je l'ai rangé. J'avais envie de quitter sa voiture. Le ciel était mauve avant le jour.

L'encre et la peinture se traversaient sans se mélanger. Cela me faisait penser au rapport des os et de la peau, les premiers se cachant sous la seconde. La peinture était mauve foncé, presque noire à l'image du sang séché. C'était un grand format. Sous le trait à l'encre surgissait le premier trait au crayon. L'encre était un trait définitif sur lequel on ne pouvait revenir. Qui ne pouvait se modifier. Comme une coupure au scalpel. C'était une femme couchée, une cuisse relevée, l'autre pas. Le sexe n'était pas dessiné mais on savait. Il n'y avait aucun visage, c'était juste le corps, l'invasion.

Un corps dessiné après une jouissance que l'on imaginait violente. Le papier kraft faisait penser à la peau, les taches à la chair nue.

DARRELL, ABOU DHABI 1985

L'odeur entrait dans les maisons, le lycée, les restaurants. Je pouvais la dessiner. Elle avait un volume, une forme. C'était facile de l'imaginer. On disait que c'était à cause de la chaleur. On disait que les militaires allaient percer des nuages. Qu'ils savaient le faire. Qu'ils en avaient l'habitude. Avec des avions et des armes. Il y avait une base d'entraînement, non loin. Quand le vent tournait, on entendait les tirs. Cela ressemblait à l'orage. Au début cela faisait peur, après cela faisait partie du bruit du pays. C'était son bruit, comme c'était son odeur. On ne se posait pas de questions, on l'avait intégré à notre vie qui ne ressemblait pas à la vraie vie. À cause de l'odeur on quittait la ville plus souvent. On roulait, sans but vers le désert. Il était partout le désert, sous le goudron, sous nos pieds.

Il menaçait. Rien n'existait vraiment. Rien. Ni les immeubles ni les maisons ni le champ de courses. On avait aménagé la ville. On avait construit sur du sable. Cela envahissait nos têtes aussi. Nous n'étions plus sûrs d'exister ou de penser vraiment. On se fabriquait des idées, des peurs et des envies. Je restais à l'arrière de la voiture, fixant les glissières de sécurité avant que la nuit arrive. Elles ressemblaient à des lames de couteau. Il suffisait de les longer pour arriver quelque part. Sharjah, Dubaï, Oman. Il y avait toujours une destination à atteindre, malgré le vide. Je m'inventais un monde, après les glissières, les camions-citernes, les châteaux de fer d'où jaillissait le pétrole. Un monde qui n'avait pas de limites, pas de frontières. Un monde de vallons et d'arbres qui perçaient le ciel et délivraient la pluie. Un monde sans ennui. On se sentait en roue libre. C'était comme si on existait moins. Comme si on était déjà partis un peu de la vraie vie.

L'odeur, c'était l'odeur de la mer qui avait comme tourné. On disait que le Golfe s'évaporait, à cause de la chaleur, anormale pour la saison. Tous les soirs je nageais dans l'eau chaude. J'allais loin. La brume brisait l'horizon. Je n'avais pas de limites. Le Golfe était ouvert sur une terre que personne ne connaissait. J'aimais cette idée. C'était une idée de la liberté.

Un jour cinq hélicoptères de l'armée ont survolé la plage. Ils sont descendus très bas. Tout le monde courait. Des animaux. À cause du bruit et de l'immensité des pales. Elles couvraient tout, soulevant le sable. Ils ont tourné pendant dix minutes. C'était long. Cela faisait peur. On a dit que c'étaient des Israéliens mais les Israéliens ne venaient pas jusqu'ici (le partage du ciel). On a dit qu'ils cherchaient quelqu'un. Qu'ils prenaient des photographies. Qu'ils étaient en mission d'essai. On a dit n'importe quoi. On a inventé une raison. Je rejoignais Darrell sous le ponton. Je savais qu'il m'attendait. Il travaillait à la plage, il était anglais. On ne se comprenait pas et j'aimais bien la sensation de ne pas s'appartenir. De rester deux étrangers l'un pour l'autre. On n'était pas ensemble mais j'avais accès à sa peau et lui à la mienne. Cela devait provenir de l'ennui. Cette façon de vouloir et de ne pas vouloir. Cette envie soudaine aussi. On se retrouvait au centre de la journée, sous le ponton de bois. Je m'habituais à nos rendez-vous. C'était juste comme cela. On ne s'engageait à rien. On se serrait, ventre contre ventre. On s'embrassait. On ne se disait rien. On n'avait pas les mots. On remplissait le vide. Mais on ne le remplissait qu'à moitié. Avec nos langues et nos mains. Avec nos cuisses et nos épaules. Puis l'idée de la mort revenait. À cause de l'eau, à cause de l'odeur. Quelque chose s'enfuyait de nous. Il y avait de la nuit malgré le soleil. À cause de la brume aussi. Je n'étais pas à ma place. Mais il m'arrivait quelque chose et ce n'était plus l'ennui. Ce n'était plus ma vie de tous les jours. La route sombre du lycée. La fête et l'alcool. La fille qui avait disparu et dont on attendait des nouvelles. Ce n'était plus ma nuit sans sommeil, à cause du vent. C'était la peau et la force de Darrell qui me portait dans l'eau. Contre la peur que nous avions tous, à cause de l'odeur et des pales des hélicoptères, à cause de l'hélice d'un bateau qui venait de décapiter une élève de mon lycée. À cause de la nuit qui ne ressemblait pas vraiment à une nuit. J'avais manqué mourir à cause d'un bateau. Je nageais seule et loin du rivage. Quand il a foncé sur moi, j'ai caché mon visage. Je ne voulais pas voir ce qui allait m'arriver. Il a tourné au dernier moment. On a dit que c'était un miracle. Quand je suis rentrée vers la plage je ne voyais plus rien. Je ne pleurais pas mais j'avais perdu la vue un instant à cause de la peur. Cela faisait une ligne noire sur le rivage. Une ligne qui se déplaçait. La ligne des gens qui me regardaient. Darrell a couru vers moi. Il criait *fucking bastard, fucking bastard,* mais le bateau était déjà loin. Son pilote nous tournait le dos. Darrell m'a apporté une bière. Elle était glacée. C'était comme si je l'avalais, lui. Après, nous sommes allés sur le ponton. Il a fumé une cigarette. Avec la chaleur, la bière nous est vite montée à la tête. C'était agréable, on riait pour un rien. J'ai oublié le fucking bastard. On a plongé et on s'est mélangés l'un à l'autre comme si la mer n'était rien, comme si nous étions les deux seuls liquides à exister.

LA LUBIE, PARIS 1999

Avant de quitter l'appartement de la rue de Berne, j'avais une image chaque matin en me réveillant, chaque soir en me couchant. Un morceau de bois avec un petit trou à son extrémité. Je l'appelais l'image opportuniste. J'apprenais à vivre avec elle, à en faire une habitude. J'essayais de la matérialiser, de la rapprocher d'un objet que j'avais tenu dans ma main ou que j'avais dessiné. Il n'y avait aucune trace physique de cette image. Il n'y avait aucun lien avec les objets qui m'entouraient. Aucun lien avec les cartons que nous fermions avec l'Amie. Aucun souvenir dans les lieux que j'avais traversés les dernières semaines. C'était une image étrangère à mon monde, sans référence. Un soir, j'eus l'idée que ma jeunesse amoureuse s'échappait par cette entaille, comme le liquide d'un goutte-à-goutte.

Quand je fermais les yeux, les murs de sa chambre devenaient des falaises. J'entendais le vent dans les feuilles des arbres hauts, nos corps dans la chaleur se transformaient en héros d'argent. Je penchais puis renversais mon visage. Le désir traçait des spirales. Nous glissions l'une sur l'autre sans tomber, notre équilibre était parfait. Nos nuits étaient des aubes, nos jours des soirées, nous vivions à l'envers du temps.

Quand je la quittais, je ne savais jamais si j'allais la retrouver. Si le silence allait nous ensevelir comme du sable. Nos baisers ressemblaient souvent à des adieux.

LA PORTE DU KAT, PARIS 1986

Elle semblait avoir été creusée dans le mur. J'avais peur de sonner, d'entrer, j'avais peur d'être vue. J'avais peur de ce qui se tenait derrière. Il fallait sonner et attendre. Une lucarne s'ouvrait. Une fois à l'intérieur, je restais près du bar. Je ne dansais pas. Je regardais le sol ou les murs. Une autre peur arrivait. La peur de ressortir.

Le jour je changeais de trottoir, me faisant la promesse de ne plus y retourner.

La nuit, mon désir était plus fort que ma crainte d'être reconnue par quelqu'un qui n'existait que dans mon imagination.

À force de s'ouvrir, la porte se reliait aux histoires que l'on me racontait enfant. Il y avait toujours une clairière après la forêt, un arcen-ciel sous l'orage, un pré vert au-delà des ronces. Cela faisait comme la promesse d'une vie meilleure.

SASHA, PARIS 2009

Elle venait me chercher à l'entrée du parc Monceau. Il était onze heures du matin. Nous portions, sans nous en être prévenues, les mêmes vêtements. Elle m'offrait un disque qu'elle avait gravé, contenant toutes nos chansons, celles que nous avions écoutées, celles qui parlaient de nous.

Quand elle conduisait, elle posait toujours sa main sur ma cuisse.

Nous nous embrassions à chaque feu rouge comme si nous manquions de temps.

À chaque fois qu'elle passait devant le parc, elle m'en envoyait l'image par le biais de son téléphone, ajoutant qu'elle n'en aurait plus jamais la même vision.

LA PREMIÈRE FOIS, ALGER 1972

Le langage glissait de la scène, ne pouvant la résumer ni la rapporter, il n'y avait pas de cadre pour cela, les reliefs étaient flous, les limites absentes, c'était un état, impliquant le corps et non la parole. Il y avait du soleil dans ma chambre qui semblait plus grande que d'habitude, ouverte sur la ville, puis sur le port, révélée à tous, le soleil faisait des raies sur le carrelage, ces raies reviendraient dans chaque livre. C'était une lumière particulière, qui encerclait mon corps, une lumière de poudre. Je dormais en short et en débardeur. Cela arrivait au réveil. Je gardais le souvenir d'un état plein, il ne manquait rien, sauf les mots qui ne pouvaient couvrir l'explosion du ventre, l'ivresse (recherchée par la suite), l'étonnement, puis une tristesse, douce et inédite.

31

Ce plaisir recouvrait tout, il avait un rapport avec le savoir.

LA FRESQUE, PARIS 1996

Rue de Berne, sur le bureau de l'Amie, avec des feuilles de papier Canson reliées entre elles par des bandes de Scotch, je l'appelais la fresque érotique.

Au centre, un premier personnage, mélange de chien et d'écureuil. Puis des liens qui faisaient penser au chaos, à l'orgie.

Je ne suivais ni ordre ni logique, orientant le dessin selon une folie qui me dépassait. Mes idées se mélangeant dans ma tête, comme les représentations, à la fois naïves et monstrueuses.

J'allais toujours plus loin, par jeu, par excitation, sans censure ni morale.

Un rat mordait le sexe d'un homme qui lui-même léchait la gueule d'un chien qui se serrait contre le ventre d'une femme tenant dans sa

main un oiseau qui ressemblait à une verge tendue ou à une arme pour se défendre.

Les scènes noircissaient le papier comme elles
auraient pu noircir les murs de notre appartement que l'on appelait l'appartement adulte à
cause de sa taille, nous qui n'étions encore que
des enfants.

ZHOR, ALGER 1972

Elle avait ouvert toutes les fenêtres et l'air faisait des spirales autour de nous. Elle demandait si nous voulions boire quelque chose, si nous avions faim ou si nous pouvions encore attendre. C'était ma sœur qui répondait. Qui décidait que nous pouvions encore attendre. Qui allait chercher une carafe d'eau à la cuisine. Elle se sentait bien. Zhor nous gardait pour la nuit. Sur le balcon, j'entendais la ville, Alger, l'organisme géant, dont nous faisions partie, que nous nourrissions tous les jours, en tant qu'organismes plus petits, qui formaient un ensemble, bien plus qu'une simple foule, bien plus qu'une simple population ; cet ensemble était constitué d'humains mais aussi de fer, de cargos, d'arcades, de pentes, d'escaliers, de sifflets et de sirènes, de trolleys et de voitures, d'enfants qui dévalaient les pentes en criant comme des oiseaux. Je couvrais toutes les lumières qui clignotaient, la masse des arbres et des toits, les travées des avenues et les rangées d'arbres et quand mon regard allait encore plus loin, vers le port et bien après, vers la mer qui s'ouvrait, je savais que moi aussi je faisais partie du tout et que je nourrissais cet organisme à ma façon, que mon cœur battait dans son cœur, que je marchais avec lui, que mes veines lui donnaient un peu de sève, que mon souffle s'ajoutait aux autres souffles, que j'étais une infime particule parmi toutes celles qui le constituaient, invisible mais nécessaire, une force ajoutée aux autres forces. Alger grondait parce que c'était une nuit d'été, que rien ne s'arrêtait, une autre population succédant à la population du jour, pour des choses que je ne connaissais pas mais qui me fascinaient ; cette nuit happait les corps de mes parents serrés l'un contre l'autre par la danse et la musique de l'orchestre du mariage auquel ils étaient conviés, musique un peu triste comme l'est toujours celle des chansons d'amour.

Zhor portait une jupe droite avec un chemisier ouvert. Elle se tenait contre le mur. Les jambes croisées. Elle disait que nous allions bien nous amuser, que la nuit allait être longue, que c'étaient les vacances, que nous devions en profiter, qu'il serait impossible de dormir, avec la chaleur, avec le bruit des voitures, avec les sirènes des cargos qui accosteraient dès l'aube ; nous allions jouer aux cartes, des allumettes pour mise. Elle allait faire de l'orangeade, montrant un pain de glace entier dans le congélateur comme dans les films de détective, la glace devant le ventilateur. J'étais excitée d'être chez elle, dans une nuit qui ne ressemblait pas à mes nuits, dans une nuit étrangère où mon regard se posait sur la peau de cette femme qui parlait avec lenteur. Cette femme qui semblait vivre une vie décalée de celle des autres et qui nous y invitait pour nous apprendre quelque chose de nouveau, qui devenait pour moi quelque chose de magique, jouer, ne pas dormir, attendre le soleil, avoir l'impression de faire quelque chose d'interdit, qui deviendrait quelque chose de bon, quelque chose de vrai. Elle montrait notre chambre, non loin de la sienne, je la regardais marcher, pieds nus sur le carrelage, elle était mince avec des cheveux courts, je voyais sa peau sous son chemisier, je crois qu'elle transpirait un peu et je trouvais cela beau, parce que je pensais que ma main aurait pu sécher sa peau, se glisser pour y saisir la vie, et me relier à un autre organisme (à l'intérieur du grand organisme), et me laisser aller à mon désir qui était aussi un désir d'appartenance à l'autre, non par soumission mais par connexion, comme si nous étions deux éléments électriques qui auraient produit, ensemble, encore plus d'électricité. J'avais cette image d'un documentaire à la télévision, d'un chimiste qui, pendant son expérience, pinçait deux fils à l'aide de deux pinces crocodile, disait-il, et j'avais ce mot, les pinces crocodile, qui convenait à mes sentiments. Mon cœur entaillé. Nous retirions nos chaussures, la suivions, silencieuses et admiratives, elle installait une table sur le balcon. Nous allions dîner sous les étoiles, je regardais le ciel et il n'y avait pas d'étoiles mais je me disais que dans la vie c'était bien d'inventer des jolies choses, d'ajouter des étoiles au tableau, d'être poétique, et Zhor était peut-être comme moi, et je pensais aux nombreux dîners qu'elle avait dû passer avec cet homme dont ma mère m'avait parlé, celui qui ne voulait pas divorcer, qu'elle aimait en secret, qui la retrouvait dans la nuit et la serrait contre lui, comme dans les films que je regardais cachée derrière la porte du salon, parce que j'avais besoin d'images, comme si mon cerveau me l'ordonnait afin de mieux fonctionner. Les étoiles s'effaçaient avec l'homme qu'elle aimait. Je l'enviais parce qu'elle avait des gestes adultes, sa façon de boire son café, d'allumer sa cigarette, de se rendre à la cuisine, d'ouvrir le four, de presser les oranges – des gestes que je n'avais pas encore et qui me donnaient une sensation de vertige. Ses gestes étaient des gestes d'occupation. Elle n'était pas à côté de la vie, mais à l'intérieur, comme dans un labyrinthe, où il était compliqué de s'orienter mais où l'on ne s'arrêtait jamais. Je me faisais la promesse de vivre plus tard ainsi, dans tous les mouvements de l'existence qui étaient aussi les mouvements de l'amour.

L'ÉCRIVAIN, PARIS 1991

Au début, je ne voulais pas voir son visage, je ne voulais pas voir son corps, je ne voulais pas savoir à quoi il ressemblait, je ne regardais pas la télévision quand il s'y exprimait, je refusais de voir son film sur ses jours de maladie, d'entendre sa voix qui serait ensuite la voix du livre que j'étais en train de lire.

Je ne voulais que ma voix dans ses mots. Comme une intimité. Comme un mariage.

Plus tard, quand j'ai appris qu'il était aussi photographe, je traquais sa peau nue et celle de ses amants afin de superposer les images que j'avais inventées de lui à la réalité qu'il offrait. Je refusais encore de l'entendre. Le silence nous unissait.

LA TERRASSE, ALGER 1975

Dans le parc de la Résidence, prendre le chemin qui longe la crèche, passer devant le groupe électrogène, s'enfoncer dans ce qui ressemble à une chair chaude, ne pas avoir peur du bruit que font les citernes, sous la terre, un réseau de tuyaux ; on disait que l'électricité s'échappait des installations, que le sol en était chargé, qu'il suffisait de se coucher à plat ventre pour sentir les picotements de ce que nous appelions le feu. Avant la forêt d'eucalyptus, une plate-forme, large, sur deux niveaux, que l'on nommait la terrasse, où les filles et les garçons de la Résidence se retrouvaient pour fumer, et s'embrasser, où l'électricité montait et circulait de corps en corps, où un brasier aurait pu prendre tant la terre était sèche, tant la pierre était chaude. L'odeur des arbres et des

41

résines, l'odeur des corps qui étaient dans une liberté extrême. Le ciel s'ouvrait et le soleil mangeait nos visages.

Au Lei, il y avait une forme de désir entre elles et moi, un désir qui n'était pas sexuel mais qui avait l'énergie de la sexualité. C'était le désir de la vie. Un désir sec et brutal. Un désir auquel nous ne pouvions échapper.

Puis le désir devenait liquide. Une sève nous enivrait. C'était la vie, l'évidence de la vie. Elle sécrétait du plaisir.

Le liquide remplissait nos mots, nos histoires, nos déclarations, nos passés et notre avenir.

Quand nous glissions en voiture sur les quais, la vitesse faisait une ligne bleutée sur la Seine, compressant toutes les lumières.

Je capturais avec mon appareil photographique les images de la ville, de leurs épaules, leurs cheveux, leurs nuques, tout ce que j'observais de ma place et que je trouvais d'une grande beauté.

LE MARTYR, ALGER 1977

Un film en noir et blanc. Le ciel c'était la nuit, le soleil, un trou, au coin de l'image. Il y avait de la couleur dans la non-couleur. Le noir était plus noir et le blanc plus blanc. Les yeux des acteurs mangeaient l'écran. J'en avais peur. Ils aspiraient tout. Je ne voulais pas les retrouver dans mes rêves. Les yeux qui roulaient. Il y avait quelque chose de très intime à cause de la sueur, des muscles, des tendons, des corps, couverts de suie, de sable, à cause de la couronne d'épines que portait le héros, à cause de ses larmes. C'était bien plus qu'un film. Je m'identifiais. Je venais à l'image, dans ce que j'avais de plus honteux, de plus secret. Je venais avec ma violence que je n'arrivais ni à comprendre ni à contrôler. Mon désir passait par la force et par le contraire. Désir que j'imaginais.

C'était un film de guerre. Il y avait des chevaux et des hommes attachés à des roues. Il y avait ce mot entendu un jour, l'Écartèlement. C'est ce qui arrivait. On écartait les corps jusqu'à la déchirure. Je voulais voir. Il y avait du sang mais le rouge n'existait pas. Un liquide noir et épais, sur les torses, les visages. La sueur faisait briller les peaux qui semblaient être éclairées de l'intérieur. À force de regarder, mon corps devenait un de ces corps battus.

Je ne comprenais pas le sens du film, la raison des luttes. J'entendais juste le bruit des galops, les cris parfois, et les gémissements. Je pensais au plaisir malgré la violence. Je les associais. Pour la première fois de ma vie. Quelque chose explosait à l'intérieur de mon ventre. Malgré l'horreur des scènes. La guerre me faisait penser à la possession. La possession à la sexualité. Je regardais le film cachée derrière la porte du salon, sur les genoux, ne sentant plus mon sang dans les jambes, ce qui participait à mon excitation. Je souffrais devant la souffrance. Il faisait nuit. Je ne pensais pas à ma ville, une masse dont je me détachais au fur et à mesure des images cannibales. Je me laissais dévorer. Par les claquements de fouet sur le dos d'un homme dont on avait attaché les chevilles et les poignets, par sa plainte qui montait comme un chant vers moi. Je ne m'identifiais pas à la victime ou je refusais de l'admettre, me plaçant dans l'espace entre le fouet et le corps, comme si j'avais pu retenir le coup ou en adoucir la douleur.

LA BANDE MAGNÉTIQUE, PARIS 2008

Quatre ventilateurs, aux coins d'une pièce de cinquante mètres carrés, portaient au-dessus du sol une bande noire dont on avait relié les extrémités. Elle formait un cercle. La vie close, le début et la fin réunis. Les visiteurs se collaient aux parois du mur. Tous tenaient leurs bras croisés sur le ventre, pour se protéger ou pour s'empêcher d'entrer à l'intérieur du cercle et d'être enlevés, par ce qui aurait pu faire penser à un sexe de femme, un sexe inventé ou vu par un enfant, énorme et sans fond. Le cercle était en suspension. Un objet fantôme ou l'image d'un rêve dont on ne connaissait pas la signification. L'installation portait le nom d'Origine. C'était une bande magnétique (vidéo).

J'inventais les images qui y étaient peut-être gravées, privilégiant les scènes dites d'amour.

LA FOULE, PARIS 2009

Place de l'Hôtel-de-Ville, je pensais que chacun avait une histoire, et que toutes ces histoires marchaient ensemble, toutes les joies et toutes les peines, tous les deuils et toutes les naissances, toutes les séparations et toutes les rencontres, je me disais que nous nous amusions et nous souffrions tous de la même façon et que tous ces sentiments, l'un à côté de l'autre, se répondaient, sans que nous le sachions, que toutes les ondes formaient des dessins invisibles, que nous marchions l'un avec l'autre, et non l'un sans l'autre, que la solitude n'était qu'une vue de l'esprit.

9 octobre

Je me laisse recouvrir par le temps, refusant de relire ses lettres, de regarder ses photographies, de porter les vêtements que j'ai portés en sa présence. Je ne descends jamais la rue Vieille-du-Temple vers la Seine, craignant de la rencontrer ou de marcher dans les pas que nous avons laissés. Je n'écoute plus nos chansons, changeant la fréquence de la radio quand l'une de celles-ci s'y diffuse. Je refuse de l'imaginer, dans sa vie de tous les jours (sa maison, son jardin, ses amis). Je refuse de penser à notre intimité.

13 octobre

Quand je croise une femme qui porte son parfum, j'enfouis mon visage dans mon foulard ou le col de mon manteau.

Tout ce qui me lie à elle me lie à une souffrance encore plus grande que celle qu'elle a engendrée : j'ai perdu mes gestes amoureux (écrire, téléphoner).

Je compte sur les jours pour endormir ma peine, écrivant un nouveau livre qui devient un rempart à la vie que nous avons partagée, fugitive et fine comme ce souvenir que je garde d'elle, assise sur un banc du jardin du musée Picasso, fumant une cigarette, seule, l'air triste, ignorant que je l'observe et que je comprends avant les mots.

15 octobre

Il m'arrive de m'endormir en pensant que nous sommes encore ensemble. Mes rêves nous unissent. Mes réveils nous séparent.

J'aimerais savoir si je lui manque, si elle pense à moi. C'est de ce silence dont je souffre. Le silence des sentiments.

Je me dis que la vie la recouvre, que son temps est un temps désaxé du mien.

Nous n'avons pas les mêmes pensées.

16 octobre

Je ne supporte ni les hommes ni les femmes qui s'approchent de moi. Toute tentative de séduction est un affront à mon chagrin. Je garde une forme de fidélité dont je suis la seule à comprendre le sens.

Je me sens toujours liée à celle que j'aimais, en dépit de son absence que je nomme la Disparition.

19 octobre

Il m'arrive de lui envoyer des SMS d'une grande douceur suivis de mails d'une grande violence.

J'ai un désir de pardon puis un désir de vengeance. Ma tristesse ne répond à aucune logique.

21 octobre

Je marche à côté de moi et les choses sont des ombres impossibles à saisir. Puis je deviens à mon tour une ombre, traversant le monde qui a perdu ses reliefs.

Me vient à l'esprit cette expression – un coup de couteau dans le dos –, suivie d'une douleur que je ne connaissais pas.

SAMI, ALGER 1978

Cela se passait dans la partie de son jardin qui restait à l'ombre, celle où le soleil ni personne à part nous n'entrait jamais. Une pente en ciment, comme la rampe d'un garage. Cela se passait ici à chaque fois. Nous n'avions pas décidé du lieu. C'était venu ainsi, à force de courses et de jeux. Venu dans la douceur du printemps puis dans la violence des orages d'été. On y revenait par envie et par habitude aussi. On ne pouvait plus s'en passer. Notre lien tenait ainsi. Notre lien sans nom. Sami n'était pas mon frère. Sami n'était pas mon ami. Il nous arrivait de nous embrasser comme des fous. Les égarés de l'amour, disait Sami. Nous ne savions pas. Exprimer nos sentiments. Nous protéger l'un de l'autre. Nous n'avions pas appris. Il disait que ce lien était sa prison. Une prison, qu'il aurait préféré ne jamais connaître. Il ne se sentait pas entier sans moi. Il détestait cette impression. Il m'en voulait. C'était la honte de ressentir cela pour une fille. Hachma. Il pensait que cela passerait avec son entrée au lycée et puis il a continué à me suivre, à me téléphoner, à vouloir tout savoir de moi. Il ne pouvait pas s'en empêcher. Nous étions attachés à cause de la peur. Depuis le premier jour à l'école d'Hydra. La peur. La peur de la vie, la peur de l'existence, la peur d'être du monde et de la fin du monde, la peur d'être engloutis par quelque chose de plus grand que nous, la peur d'être aspirés, la peur de l'avenir que l'on comparait à l'univers, flou et sans fond. La peur de se lâcher la main et de faire le chemin seuls, sans se retourner. Puis la peur devenait de la colère.

Dans la partie sombre, je tombais sur lui de tout mon poids. Je me relevais. Je retombais. Les deux fous, les deux égarés hurlaient. Personne ne nous entendait, effacés de la ville, de nos amis, de nos familles. Deux orphelins. Personne ne savait. C'était comme un délit. La partie sombre de son jardin était aussi la partie la moins douce. Cela avait orienté notre choix. Les fleurs ne s'ouvraient pas ici. Le ciment mangeait tout, la peau de nos coudes et de nos genoux. Nous étions à l'abri du reste du globe.

Sami me griffait. Je le mordais au cou, aux veines, loin dans la chair. Je voulais son sang. Son poing sur mon ventre. Mes mains à sa gorge. Couverts de bave, nous nous frottions l'un contre l'autre, jouant à faire l'amour, nous souvenant de cette revue pornographique que nous regardions ensemble. Les images étaient obscènes à cause de leurs couleurs. Un papier et une encre de mauvaise qualité rougissait les chairs, les dénudant comme des chairs blessées. Nous les trouvions excitantes parce qu'elles étaient animales et mélancoliques.

Après la lutte, nous restions l'un sur l'autre dans la partie du jardin, sans bouger, sans rien dire. Je savais que les mots se pressaient dans le cerveau de Sami, comme ils se pressaient dans le mien, faisant des cordes qui me serraient le cœur. Des mots que je n'arrivais pas à dire, des mots de tout, des mots de rien, des mots qui me donnaient la fièvre et la honte parce que avec Sami j'avais conscience de mon corps, dans ce qu'il avait de plus fragile et de plus fort. Je portais en moi son désir. Nous restions deux pierres. L'un sur l'autre mais jamais l'un dans l'autre. Je posais ma main sur son sexe, devenu un objet qui ne faisait plus partie de lui. Je ne voulais pas lui donner du plaisir. Je voulais sentir sa force et la lui voler.

LA BANQUETTE, FORMENTERA 1994

Sur la plage. Chacun livrait un fantasme, faisant la promesse de ne pas mentir, de tout dire, sans honte ni limites.

Je choisissais le fantasme de la banquette, rouge de préférence, à l'arrière d'une voiture ou au fond d'un restaurant, me connectant aux premières images pornographiques que mon cerveau avait retenues : une femme en jupe et bas, couchée, se laissant faire par les mains d'un inconnu.

Mon récit forçait au silence, personne ne sachant à qui je m'identifiais, quel rôle je m'attribuais. La femme ou les mains. La lumière y était basse, entre le jour et la nuit, à l'image de ma voix qui racontait. Je me surprenais à donner les détails d'une scène que je n'avais jamais vécue, faisant de mon invention un souvenir que je reviendrais visiter seule pour en affiner les détails.

Elle venait de le faire. C'était encore doulou-
reux, à fleur de peau, disait-elle. Elle devait surveiller sa température. Nettoyer les plaies fines
qui coupaient l'intérieur de ses aisselles. Deux
traits, par lesquels les poches étaient passées. Il
était impossible d'imaginer l'opération. Impossible de savoir, de deviner. C'était bien fait.
Personne ne saurait. Personne ne verrait.

Elle se massait avec une crème spéciale pour
que la peau prenne la forme des prothèses, le
soir après le bain, quand les chairs étaient
molles et cotonneuses.

Elle était fière de son nouveau corps. Elle le
disait, souvent. Elle l'appelait ainsi – mon nouveau corps –, pour se le réapproprier. Cela faisait partie de la suite de l'opération, le
processus, disait-elle.

C'était plus joli ainsi, quand elle porterait des chemisiers, des décolletés, des vêtements transparents. Le médecin avait dit qu'elle allait perdre en sensibilité mais gagner en séduction. C'était ce qui comptait. L'attrait, le regard fou. Les autres.

Quand elle me demandait de toucher, je pensais à deux méduses flottant sous l'eau.

SASHA, PARIS 2009

Il lui avait fallu du temps avant de se sentir en sécurité auprès d'une femme. Elle venait des hommes comme l'on vient d'un pays.

LES TOURS, PARIS 1992

Elle vivait au seizième étage. J'avais l'impression d'être allongée sur le vent. De flotter au-dessus de la ville.

Le bruit de l'ascenseur qui montait puis descendait m'angoissait.

Je pensais à tous les habitants de l'immeuble, allongés les uns au-dessus des autres. Nous étions des fourmis. Chacun travaillant à sa construction.

Elle disait qu'elle ne voulait pas faire l'amour mais qu'elle avait besoin de sentir quelqu'un contre elle la nuit. Que c'était aussi bon que le plaisir que l'on donne ou que l'on reçoit. La chaleur de l'autre, ses pulsations. Des bras qui serrent. La force, les veines. Le souffle, le ventre qui se soulève. Les jambes enlacées. La vie sur sa peau. Cela lui donnait le sentiment d'exister, de compter pour quelqu'un. Elle ne désirait pas plus, s'interdisant l'abandon à cause d'un événement dans l'enfance qu'elle refusait de livrer.

L'AUTRE VIE, ALGER 1975

Pour moi les ovnis restaient invisibles. Hors de notre portée. Hors de l'idée que l'on s'en faisait. On pouvait juste sentir leur présence, dans le ciel, dans la nuit. On pouvait sentir leurs vibrations aussi. En nous. Comme une part qu'ils nous auraient léguée. Une part que l'on ignorait. Qu'il nous fallait nous révéler. Je ne croyais pas aux soucoupes. Aux traces dans les champs. Aux points lumineux. Ils étaient au-delà de notre vitesse. Bien après la constitution de notre système. Ils étaient comme une intuition. Une chose qui existe mais dont on n'a jamais la preuve. Une chose si forte qu'elle en bouleversait la vie. Ils étaient du ciel mais aussi de la terre.

Plusieurs fois par jour je m'allongeais dans le parc de la Résidence pour me faire irradier de ce qu'ils étaient.

J'avais un livre sur eux. Un livre de témoignages. Un livre dont la Nasa avait validé chaque information. C'était écrit sur la page de garde. Et moi je croyais en ce qui était écrit. Dans le livre, les témoins disaient s'être fait enlever, sur une route, une plage, en lisière d'un bois, dans une rue, de nuit. Ils ne gardaient pas vraiment de souvenirs de leur enlèvement qu'ils appelaient aussi le kidnapping. Cela faisait comme un rêve d'une durée de plusieurs jours, comme une seule image dans le cerveau que l'on étirait, une image sans fin, qui ne donnait pas lieu à d'autres images. Une invasion. Ils n'avaient aucun souvenir de leurs ravisseurs, aucun souvenir physique ou détail. Ils disaient que les soucoupes ou les petits hommes verts étaient une invention de la télévision, du cinéma. Chacun avait cette phrase – C'est plus compliqué que l'on ne croit, vous savez. Les reliefs s'effaçaient. Les victimes entraient dans un halo qui se transformait en tuyau dont chaque côté se composait de striures, de plus en plus larges quand on avançait. C'était toujours la même description. Les témoins n'habitaient pas la même région. Ils étaient de l'Oklahoma, du Massachusetts, du Kansas. Ils étaient loin de chez moi. Et cela renforçait mes croyances. Tout ce qui venait d'Amérique était supérieur à ce l'on pouvait connaître. Ils étaient en avance. Avant nous. Avant nos certitudes et nos croyances. Ils avaient la technologie. Ils avaient tout. Les témoins s'étaient sentis dans un ventre géant qui ressemblait à une éponge. Comme on comparait souvent le cerveau à une éponge, je me disais que les ovnis se manifestaient peut-être sous la forme d'un cerveau géant, parce qu'ils étaient plus intelligents que nous. C'était une manière de nous le faire savoir. De nous intimider. Tous les témoins étaient revenus avec un petit point rouge sur le haut du crâne, caché dans les cheveux, comme si on leur avait retiré une somme d'informations sur leur vie, leur histoire et le monde dans lequel nous vivions. Une femme disait que c'était aussi une expérience sexuelle, dans le sens où elle n'avait pas retrouvé son corps intact. Elle n'était sûre de rien mais elle ne se reconnaissait plus vraiment. Une douleur anormale dans le bas du ventre. Elle ne voulait pas s'attarder, entrer dans une spirale. Mais c'était là. Sur elle, en elle.

Tous, dans le halo, avaient eu envie de pleurer. À cause d'une force si vive, une force qui n'avait aucun rapport avec la violence. Une force qui vous prenait, vous rendait meilleurs.

Ils auraient pu la suivre, cette force, pour toujours. Mais chacun avait une famille. Ce n'était
pas encore l'heure de tout quitter.

Un seul homme n'avait aucun souvenir, ni du
halo ni de l'éponge ni de la force. Il parlait de
suspension du temps. Cela me faisait penser à
moi. À mon angoisse d'avoir perdu ma virginité, sans le savoir.

LE VIN ET LES FRAISES, PARIS 1997

Tous les vendredis soir, retirées du monde, protégées par le temps, enfermées dans notre château d'amour et de douceur, le rouge du vin et le rouge du fruit rendant encore plus vifs nos sangs et nos vies que nous nommions, l'Amie et moi, nos vies heureuses.

Nos voix se répondaient.

Sans le savoir encore, nous avions trouvé notre chemin.

KAREN, ZURICH 1984

Elle avait quitté la soirée mais je savais
qu'elle n'était pas partie, qu'elle allait revenir,
elle me l'avait promis, je savais qu'elle était là,
dehors, dans le froid, mais le froid ne comptait
pas, ce n'était rien, ni la nuit ni la neige, ce qui
comptait, c'était ce qu'il y avait à l'intérieur de
nos têtes, nos forces et nos refus, c'était une
guerre, c'était LA guerre, contre le monde
parce que l'on ne supportait rien, ni nous ni
les autres ni les objets ni les choses, on pouvait
casser des objets pour se venger, on pouvait
punir les choses pour se défouler, on en voulait même à ce qui n'existait pas, à ce qui
encombrait nos vies, à ce que nous imaginions,
on en voulait même à nos rêves et à nos
regrets, on avait seize ans, seize ans de colère
et de larmes sèches ; la guerre nous faisait

avancer, tenir debout, rester dans la vie, il n'y avait que cela qui comptait, rester dans la vie, la fouiller, l'occuper, la détester aussi mais y rester, c'était notre combat ici, à Zurich. Notre jeunesse explosait comme une bombe, on cassait tout, on ne cassait rien, on cassait l'intérieur de nous pour devenir quelqu'un d'autre, c'était cela qui était important, devenir quelqu'un, qui n'avait rien à voir avec l'image que l'on renvoyait. C'était sortir de soi.

En partant, Karen avait dit qu'elle revenait, elle avait dit – Je te promets, je reviens –, elle avait dit de lui faire confiance, qu'il n'arriverait rien, que ce n'était pas important, que je devais l'attendre et si possible la couvrir parce qu'elle craignait un peu les autres, juste un peu, elle se sentait forte, elle savait comment les retourner ; même pour moi elle avait su, une main dans les cheveux, un baiser, rapide, caché, un jour au lycée et elle m'avait eue à elle, pour toujours, j'étais là, pour la défendre, pour la couvrir, je ferais ce qu'elle voudrait, je fermerais les yeux, toujours, encore, moi aussi je promettais, moi aussi je mentais. Et ils sont partis, elle et Zak. Elle d'abord, puis Zak. J'étais la seule à savoir. Elle avait dit que cela ne prendrait pas beaucoup de temps, que personne ne verrait, que personne ne saurait, que je devais continuer à m'amuser mais moi je ne m'amusais jamais dans les fêtes de Zurich, cela revenait, les fêtes, les fausses fêtes, les enduits sur la tristesse, tous les samedis, je m'ennuyais, d'un ennui qui faisait peur parce que c'était un ennui qui aurait pu contaminer la planète entière. Quand ils sont partis, j'ai pensé que c'était la fin de l'ennui, qu'il allait enfin arriver quelque chose, que la guerre allait reprendre, que la trêve était finie, que le samedi n'existait plus, que nous allions repartir au combat.

On a remarqué son absence, tout le monde a commencé à la chercher, à demander, puis ils ont cherché Zak, cela devenait un jeu, il y avait de l'excitation, et de la haine, les gens n'ont pas aimé, qu'ils se volatilisent, sans prévenir, qu'ils aillent faire ailleurs ce qu'ils avaient envie de faire, et puis l'amie de Zak a appelé de Boston, elle voulait lui parler. Les gens aimaient bien l'amie de Zak, ils avaient pleuré à son départ. Ils l'avaient regrettée à la rentrée des classes. Zak avait promis de la rejoindre, de l'épouser un jour, il l'aimait, vraiment, depuis tant d'années, c'était rare à nos âges, rare à seize ans, rare pour des casseurs, Zak n'était pas comme nous, il n'avait rien cassé, pas pour l'instant, c'était le héros du lycée, à cause de cela, de ce qu'il appelait la vie juste. Il avait tracé sa voie. Sans faire de faux pas.

On me demandait si je savais, je disais que non, je ne savais rien, qu'elle ne m'avait rien dit, on a arrêté la musique, la colère prenait tout, une colère démesurée, une colère qui en cachait une autre. Les gens disaient que ce n'était pas bien, que Karen ne pouvait pas s'en empêcher, qu'elle avait cela dans le sang, que c'était plus fort qu'elle, que c'était une maladie, que tous les mecs se l'étaient faite (c'étaient leurs mots), que certaines filles aussi, elle ne savait pas résister, elle ne savait pas dire NON. Puis quelqu'un a dit – Allons les chercher, ils doivent être en bas dans la forêt –, il y avait une excitation, on a pris des lampes de poche et j'ai eu cette image, je les ai vus prendre des fusils pour lui régler son compte, une bonne fois pour toutes, et j'ai eu l'angoisse du corps, je sentais mon sang, mon cœur, et j'ai pensé que c'était le sang et le cœur de Karen, j'ai pensé à sa peau, aux taches de rousseur qui la recouvraient comme du maquillage, à son regard si étrange, à ses yeux qui m'avaient approchée de si près quand elle m'avait embrassée. Elle avait des cils très longs, presque blancs et des yeux très verts, très clairs, avec une pupille noire, comme un trou, qui m'avait aspirée au moment du baiser.

Je partais avec eux, j'avais peur, mais je ne disais rien, je les suivais, puis je les dépassais, je voulais les prévenir, mais les gens marchaient plus vite que moi, ils me rattrapaient. La forêt était noire, j'avais ce mot allemand, *schwartz*, je le répétais, sans cesse, schwartz, schwartz, puis j'avais l'image du sexe de Karen, je ne savais pas pourquoi, cela allait avec l'ensemble, une idée renvoyant à une autre, son sexe à la forêt noire, la forêt noire à son sexe. Il faisait froid et chaud à la fois, à cause de la peur, à cause de l'excitation, ce n'était pas normal, ce n'était pas une nuit normale, quelque chose débordait, de nous, de la terre, du ciel, de la force que nous formions, de la personne que nous cherchions. Zak ne comptait plus. Karen occupait toute la nuit, toute la forêt et elle devenait toute la nuit, toute la forêt. Elle devenait la schwartz, celle que nous voulions traverser, posséder. Moi aussi je la voulais et j'avais honte de cela, pas parce qu'elle était une fille mais parce qu'elle était fragile face à nous. Je ne tenais pas ma promesse. Je ne la couvrais pas. Il y avait quelque chose d'animal en elle, en moi, en nous tous. Quelque chose qui s'était perdu. Quelque chose qui faisait que nous n'étions plus vraiment des filles ni des garçons.

SASHA, PARIS 2009

Se rendre au supermarché, au tabac, à la boulangerie, au café, au restaurant, à la station-service, au distributeur. Prendre l'autoroute, le périphérique. Se rendre chez Zara, H & M. Marcher dans les rues de Paris, en portant notre désir comme un secret qui devenait encore plus excitant quand nous le confrontions au monde courant.

L'IMAGE, PARIS 1979

Un film d'Agnès Varda. Je portais une robe de couleur mauve, avec des motifs à fleurs. Je me sentais libre, je n'avais ni peur ni violence en moi. J'avais perdu ma colère. C'était ma mère qui nous emmenait au cinéma, toujours. Elle disait que c'était important. Qu'il fallait garder en soi une somme d'images. Que c'était une façon de construire son esprit. Sa manière de penser et de réfléchir. Le cinéma me rassurait. Je trouvais compliquée la notion d'exister. Je n'avais pas les mots pour décrire le temps qui coule. En cela les images étaient supérieures. Elles restituaient la vie, reformant le temps, l'espace, à l'instant où ils avaient été quittés, sans perdition. Quand on racontait une histoire on était déjà hors de l'action. Les images dupliquaient le présent, dans son intégralité. C'est ce que je pensais au sujet du film d'Agnès Varda. Ses images étaient les images de la vie. La vie brute. La lumière dénudant les corps et les objets. Les peaux semblaient collées à l'objectif. Des membranes. J'y voyais un parti pris, à cause de l'absence d'histoire et de dialogue. J'aimais l'absence de mots. Pour moi, c'était la liberté. Il y avait une scène sur des tags en banlieue à Paris. Il y avait ce bruit d'aérosol. Les dessins en train de se faire. Les silhouettes pendues à un wagon, à un mur, à une palissade. C'était un film sur la jeunesse et sur la force. Puis il y avait ce que je nommais l'image centrale, celle qui revenait, autour de laquelle tout tournait. C'était le cœur du film, son silence et sa pulsation. J'étais fascinée. Je me sentais incluse à la scène, par projection, par identification, par désir, un désir sec et changeant, un désir sans chair et plein de chair, mais d'une chair immobile, une chair offerte, une chair qui occupait l'écran, une chair qui avait l'air séparée du reste du corps. Le sexe d'un homme endormi, filmé en gros plan ; sa couleur, sa peau, ses veines. Une image obsédante, qui le devenait encore plus sous les mots de ma mère qui murmurait, comme si je n'avais pas compris – C'est un sexe au repos.

Sa phrase suggérait tout ce qu'il y avait eu avant, tout ce qui n'avait pas été filmé, enclenchant en moi un mécanisme d'images bien plus obscènes que celle dont elles s'inspiraient.

Elle disait – J'aimerais que cela se poursuive, que le temps ne nous efface pas, que notre désir reste comme si nous étions encore en train de nous apprendre. J'aimerais qu'il n'y ait aucune érosion. Nous formons un monde nous deux. Et ce monde est parfait.

Elle me demandait de promettre de ne jamais changer la force de mes sentiments, de l'aimer comme au début, et même avant le début, quand on ne se voyait pas, quand je pensais à nous sans qu'elle le sache ; elle aimait mon histoire, d'un amour différé sur plusieurs années, un amour que j'avais tenu caché, comme un secret mais jamais comme une honte.

Je promettais, tout en sachant que quelque chose se détachait de nous, un temps révolu, l'été.

LES ENFANTS SAUVAGES, VENISE 2007

Sur un écran géant. La scène se déroulait dans un camp militaire au sommet d'une montagne. C'était un décor mais la réalité y avait prise, dans le sens où tout était possible, où rien n'était faux. Les acteurs formaient une armée de filles et de garçons. Ils portaient des treillis et des débardeurs blancs. Deux cabines de téléphérique glissaient en sens opposés sur des câbles. Les guerriers portaient des couteaux et des mitraillettes en bandoulière. Il y avait un jeu de répétition : les gestes de combat, les cabines, la musique, avec quelques détails qui changeaient, le nombre de filles et de garçons, la couleur du ciel, la neige, la nuit. Il n'y avait aucune trace de sang ou de blessure. C'était une guerre et une étreinte.

Je traversais les jardins de la Biennale avec le

sentiment d'avoir perdu une part de moi qui ne reviendrait plus.

J'avais perdu mon enfance, non comme je l'avais imaginée et réécrite, mais comme elle existait vraiment.

LA BOÎTE À PILULES, ALGER 1974

Elle avait la forme d'un oiseau. J'en ignorais la valeur mais je savais qu'elle nous protégeait. Deux pierres faisaient les yeux. Pour moi, elles aspiraient la lumière et éclairaient l'oiseau de l'intérieur. Son corps était coupé en deux pour que la boîte s'ouvre et se referme mais la coupure était invisible, on la sentait sous les doigts, comme une cicatrice.

L'oiseau était rond et plein, fait d'une seule pièce, comme si l'artisan ne s'était jamais arrêté dans son travail, comme s'il avait fondu le métal, les formes (le bec, les ailes, la queue, les pattes) en un seul tour, comme s'il n'était pas revenu sur son ouvrage. L'oiseau gardait sa place, sur la coiffeuse, dans la chambre de mes parents. Il semblait vivant. Mais d'une vie que je ne connaissais pas. Son ventre contenait sept pilules. Le chiffre ne variait pas. Je vérifiais, chaque jour. Je remarquais aussi qu'elles n'avaient pas toujours la même couleur. Quelqu'un les remplaçait. Trois roses et quatre blanches. Cinq blanches et deux roses. J'y voyais un code. Un code d'une grande intelligence.

Je refusais de l'emporter dans ma chambre, il n'existait que dans l'espace qui lui avait été attribué. Une nuit, je rêvais de lui, d'un rêve que je qualifiais d'organique parce que je rentrais dans son ventre, dans ses entrailles sombres et emmêlées. Il s'ouvrait en deux, m'absorbait. Il était plus grand que moi. Plus grand que le lieu qui l'abritait. Il couvrait la ville quand il ouvrait ses ailes. Je vivais en lui, respirant ce qu'il respirait, mangeant ce qu'il mangeait. Je dormais en lui, d'un repos comblé de songes comme si j'avais rêvé dans mon rêve.

Un jour, surprise dans la chambre de mes parents, j'ai appris par ma sœur que les pilules faisaient partie d'un traitement. Qu'il ne fallait pas y toucher. Ou se laver les mains après. Qu'elles agissaient sous-cutané, mot que j'ai vérifié dans le dictionnaire avec l'autre mot qui faisait peur : contraceptives.

Ma sœur évoquait les cycles. Je pensais aux cycles de la vie. Aux saisons, à la jeunesse qui

81

laissait la place un jour à la vieillesse, je pensais à la mer qui se retirait du rivage, au soleil qui déclinait, je pensais à ce qui constituait la nature et à ce qui la défaisait, avec une légère tristesse, me sentant contaminée par l'oiseau qui avait piqué l'intérieur de mes mains.

ASTRID, PARAMÉ 1986

Je pensais que la mer était un animal qui courait vers nous, je pensais cela parce que la nuit était sans fond, que l'on s'y noyait, que toutes les lignes se mélangeaient, qu'il n'y avait plus de démarcation entre le sable, la digue, l'escalier de ciment et l'eau, que tout était amovible, que tout montait, frappait, explosait, que la mer arrivait pour me dire quelque chose, pour m'annoncer quelque chose que je ne savais pas, pour me parler de moi, me dire qui j'étais vraiment, puisque chaque nuit je me cherchais en cherchant quelqu'un d'autre, j'avais dix-huit ans et j'avais l'impression d'arriver à la fin, que tout était en train de se détacher de moi, tout allait grandir sans moi, je me perdais, je me morcelais, la mer n'était pas réelle parce que je ne voyais pas ses limites, je la sentais, froide et énorme, elle prenait sur le ciel et sur la terre, cela modifiait l'intérieur de nos têtes, aussi nous n'étions plus les mêmes, Stan, Audrey et moi, nous n'étions plus les membres d'une même famille, mais trois personnes qui auraient pu se mélanger, s'embrasser, se rouler les uns sur les autres, tout cela c'était la faute de la mer, l'immense mer qui commençait à Paramé, finissant à Saint-Servan, nous étions sous influence, perdus et retrouvés, lents et forts, nous prenions le chemin de la digue entre les rochers, nous aurions pu tomber, mais on avançait, dans la nuit qui nous frappait, nous montions vers La Varde, dans un lieu nommé L'Escalier, ce n'était pas La Chaumière, ce n'était pas Le Rusty, nous avions déjà vieilli, mais il fallait y aller, malgré la pluie, malgré le noir, malgré la houle qui montait à la tête, on était fous de la mer comme on était fous de nous, il fallait se toucher, s'embrasser, se sentir exister, nous avions peur, nous n'avions pas peur, nous étions faibles, nous étions forts, nous venions pour une seule personne, sans nous le dire, une personne qui nous faisait rêver et courir, Astrid qui ouvrait la porte, qui laissait entrer, qui faisait payer, à qui je donnais un couteau pour l'impressionner. Nous étions dans la vie. Nous étions sans mort.

GIL, PARIS 2008

Comme on aurait pu le demander à un alcoolique ou à un toxicomane au sujet de sa dépendance, une amie que je n'avais pas vue depuis quinze ans m'a demandé, rue de Turenne, à l'arrêt d'autobus, dans une bande de soleil qui semblait nous isoler du reste du monde :
– Tu as arrêté les femmes ?

LE MAIL, PARIS 2008

J'avais retrouvé un mail que j'avais imprimé puis agrafé à mon Journal.

En le relisant quelques mois après, je prenais la place de la femme qui me l'avait écrit. Je partageais son avis. Je saluais sa décision.

« Je te quitte parce que je ne sais pas vivre deux vies à la fois. Je n'arrive pas à me sentir à l'intérieur de notre histoire. Je me sens à côté, comme l'on peut se sentir à côté des choses ou des événements du monde.

Quand tu reprends ton train je réintègre une vie où tu n'existes plus. Il ne reste rien de toi dans ma ville comme il ne doit rien rester de moi dans la tienne. Je n'arrive pas à surmonter ton absence. Je n'en ai ni l'envie ni la force.

J'aime ce titre : *La Géographie des sentiments*. Il me rappelle notre histoire. Mon amour pour toi n'existe que dans l'espace que tu occupes. Dans ce sens, ce n'est pas un amour plein ou complet. En y réfléchissant, je me dis que c'est parce que je fais aussi partie de l'espace. Ton absence n'est pas un lien au vide mais un lien à mon propre vide.

Tu vois, je ne suis pas si courageuse. Tu disais que le cœur était un pays en soi. J'ai essayé d'y croire. J'ai essayé de te garder en moi quand tu n'étais pas là.

J'ai voulu attendre la fin de ton roman pour te l'annoncer mais je n'arrive plus à faire semblant.

J'espère que tu sauras me pardonner. »

FILIPPA, PARIS 1995

La main dans ses cheveux, autour de sa taille, sur son ventre, Paris, la nuit, Le Privilège, la rue du Faubourg-Montmartre que nous remontions jusqu'à la rue Damrémont, sa voix au téléphone le rendez-vous devant le palais Garnier, notre jeunesse, nos rires et nos baisers, la légèreté de notre lien, qui n'était pas grand-chose, qui n'était pas tout, mais qui comptait, chacune gardant une trace de l'autre sur sa peau. Ainsi, bien des années plus tard, chaque fois que nous nous retrouvions, cette facilité à nous serrer dans les bras, ce bonheur de se croiser par hasard et de savoir que nous existions encore.

ÈVE, PARIS 1990

Par terre chez elle, et elle levait ses mains, et
c'était cela dont j'avais PEUR, ses mains, ten-
dues vers moi comme on tend les mains vers le
ciel. Elle implorait :

– Regarde, ce n'est pas sur mes mains c'est à
l'intérieur de mes mains, je le sens, moi aussi je
l'ai, comme les autres, je l'ai pris, je ne l'ai pas
attrapé, je suis allée le chercher, tu vois, ce n'est
pas arrivé par accident, je le voulais, c'est cela
au fond de moi, c'est ce que je voulais et c'est
de cela dont j'ai peur, tu comprends, et cette
peur elle est bien plus noire que la nuit, et elle
ne s'effacera pas avec le jour, cette peur, je vais
devoir apprendre à vivre avec elle, tu sais, ce
sera ma seconde peau, parce que, non, je n'irai
pas faire le test, parce qu'il y a une infime

chance de ne pas l'avoir, je veux garder cette idée-là, pour continuer à vivre ; tu vois j'étais si triste, C. venait de me dire que c'était fini, qu'elle avait rencontré une autre fille, j'ai eu la vision de tous ces corps interchangeables, je me suis dit que je n'étais ni meilleure ni moins bien, juste une avant une autre qui sera elle-même une avant une autre et je me suis sentie recouverte, c'est le mot, par un étrange sentiment, je ne me suis plus sentie exister, ma peau, mon cœur, mes yeux, rien, il ne me restait rien, tout s'est défait de moi, parce que C. ne désirait plus rien de moi, j'étais en train de tomber devant elle, tomber à cause d'elle et je me suis dit que ce n'était plus possible de vivre ainsi, noyée par C., que c'était mauvais pour moi et que je n'allais pas m'enfermer dans cette tristesse qui était une tristesse froide c'est-à-dire une tristesse sans larmes ; alors j'ai pris ma voiture et j'ai roulé dans Paris, je ne savais pas trop où aller, j'ai pensé t'appeler et puis je me suis dit que je n'avais pas envie de mots, non, je voulais sentir mon corps, je voulais que l'on me désire, je voulais quelque chose d'assez violent aussi, et je ne sais pas pourquoi, je suis arrivée porte Dauphine, au début, j'ai pensé que c'était moi qui allais faire la pute, que je saurais le faire, que ça allait avec ma tristesse froide, que

je savais séparer mon cœur de mon esprit, et
puis il y avait ce garçon, brun, maigre, avec tous
les muscles très secs, les yeux et les cheveux
noirs, on s'est regardés et puis c'était lui, et pas
un autre, c'était comme cela, on s'est choisis, en
un seul regard, comme un coup de foudre, mais
un coup de foudre sans amour, on savait bien
pourquoi on était là tous les deux, alors il est
monté dans ma voiture, je n'ai pas eu peur, il a
dit – C'est trois cents francs mais toi tu payes
pas, je n'ai pas répondu, je ne disais rien, j'imaginais C. avec l'autre, je voulais me sentir vivre
à l'intérieur de moi que cela explose et surgisse,
que cela me lave, comme un torrent de boue,
que cela emporte tout ce que je savais de moi,
tout ce que je connaissais jusqu'ici, que cela me
dévaste pour enfin devenir une autre, pour
grandir aussi, c'était cela, grandir ; c'est aller
assez vite, je me suis laissé faire, il m'a demandé
si je voulais qu'il mette un préservatif et j'ai
répondu non surtout pas, et c'est ce surtout pas
qui m'écrase de peur tu comprends, c'est ce
mot, c'est comme un détail et en fait c'est
immense, c'est infini, je ne comprends pas, surtout pas, cela veut dire, surtout pas la vie, non,
surtout pas, et puis cela s'est passé, je l'ai senti
en moi, il est rentré tout doucement, je n'ai pas
eu de plaisir à cause de la tristesse froide mais

91

c'était assez agréable de sentir quelqu'un en moi, quelqu'un que je ne connaissais pas, quelqu'un que je ne désirais pas, j'étais reliée, j'étais toujours aussi seule mais j'avais l'impression de ne plus l'être, que quelqu'un prenait du temps ensemble, moi et lui, que nous échangions quelque chose, je n'ai pas pensé au sang, je n'ai pas pensé au sperme, j'ai fermé les yeux et je me suis demandé si tu voudrais encore de moi après ça ; puis on a fumé une cigarette, il m'a raconté sa vie, qu'il était tunisien, que d'habitude il le faisait avec des hommes, que ça marchait bien pour lui, qu'il avait son petit succès, que tout le monde le connaissait sur la place, que c'était un peu la vedette du coin, il m'a dit que là, avec moi, c'était juste pour le plaisir et je me suis demandé quel plaisir il avait pu avoir, s'il avait senti ma tristesse froide, s'il avait vu le visage de C. dans mes yeux, s'il avait compris que mes larmes n'étaient pas pour lui.

UN TABLEAU D'EGON SCHIELE, VIENNE 2007

Une femme qui portait des bottines et un jupon. Ses bras serraient sa jambe droite contre sa poitrine. Le corps était composé de transparence. C'était une peau-tissu, frappée par les reflets et les contrastes d'une lumière qui venait d'un monde qui n'existait pas et que chacun imaginait à sa manière. Le visage se tournait vers la droite, du côté du genou plié.

La femme regardait en direction d'une autre femme ou d'un homme. C'était un tableau sans tristesse. Un tableau d'attente et de silence.

Le corps n'était pas épuisé mais offert, son plaisir, imminent.

L'HOMME, ALGER 1972

On ne savait pas qui il était, d'où il venait, s'il était de passage à Alger ou s'il vivait près de chez nous. On ne savait pas vraiment son visage, ni le son de sa voix. Ni moi ni ma sœur. L'événement avait glissé de nos peaux. Il s'était brûlé à la terre. On nous obligeait à parler, à raconter. On disait que c'était pour notre bien. Que les mots mis bout à bout formaient une délivrance, soulageaient le cerveau. On disait que toutes les vérités étaient bonnes à dire et qu'il ne fallait pas avoir peur de se confier. Mais on ne savait déjà plus. Il était déjà trop tard quand on nous a interrogées, dans la cuisine, les portes fermées, à cause des voisins.

On savait qu'il parlait français, qu'il portait un costume et une chemise. Il devait avoir trente ans, selon ma sœur. Elle disait qu'il était jeune mais qu'il avait au moins trente ans. Moi je ne pouvais pas lui donner d'âge, parce que je n'arrivais pas à me représenter mon âge. Je faisais partie de la petite enfance, ce qui devait signifier que j'étais sous l'enfance, au premier palier. Ma vie débutait.

Ma sœur disait qu'il ne portait aucune violence en lui. Elle était sûre de cela. Elle ne se souvenait pas de ses yeux, de son nez, de sa bouche, mais elle se souvenait de sa douceur qu'elle qualifiait d'extrême. Il décomposait ses gestes, ses mots, il arrêtait ainsi le temps, nous y emprisonnant, comme dans une forteresse. Mon père disait que c'était un paradoxe, cette douceur. Je retenais le mot, sans le comprendre, le *paradoxe*, ce qui engendrait de nombreuses questions sur la nature de chacun, sur les désirs aussi, sur ce que l'on appelait le *hasard* qui rejoignait le mot, *paradoxe*, parce que c'était ce à quoi l'on ne s'attendait pas, ce qui ne devait pas se confronter, comme deux éléments étrangers qui n'auraient jamais dû être en présence. L'homme et moi. Moi et l'homme. Le tableau ne tenait pas. Mon père évoquait les probabilités. Une guirlande de chiffres se déployait dans mon cerveau. Notre rencontre était mathématique. Ou non. Il n'y avait peut-être ni hasard ni paradoxe, l'homme devait croiser ma route et moi la sienne. L'un et l'autre avions quelque chose à nous apprendre. À nous annoncer. Nous étions liés. Il fallait l'accepter.

On ne se souvenait pas assez de lui pour établir un portrait-robot auprès de la police, pour lancer des recherches dans la ville – un homme brun, doux, en costume –, mon père disait qu'il était impossible de le retrouver, mêlé à la foule. Il ressemblait à tout le monde et à personne.

L'homme devenait tous les hommes d'Alger, marchant dans mon ombre et dans nos rêves. Il faisait partie de notre famille, des mots. Puis du silence et de l'oubli.

Nous jouions à l'orangerie, les arbres empêchaient le soleil de passer, c'était beau, c'était la nuit dans le jour, une nuit traversée d'éclats, l'herbe était fraîche sous nos pieds, on avait retiré nos chaussures. Nous ne savions pas qu'il nous regardait, on se sentait seules au monde, juste nous deux, ma sœur et moi, dans le silence de l'été, qui figeait l'air. Le bruit de la ville ne remontait plus à nous, en fermant les yeux, on se croyait sur une autre planète. C'était à cause de cela, le décollement. L'absence de souvenirs précis. Il y avait juste un point qui absorbait tous les autres points. C'était l'odeur. L'odeur des oranges, de l'herbe et du soleil, l'odeur de quelque chose que je ne connaissais pas, l'odeur du désir mais je n'en étais pas sûre, alors je ne disais rien. Je gardais mon idée pour moi, non par honte mais parce qu'elle me troublait.

Était-il appuyé contre un arbre, ou caché, avait-il fumé une cigarette avant, était-il connu des services de police, des autres enfants de la ville ? Nous ne le savions pas et nous ne le saurions jamais. De toute façon cela ne servait à rien. Autant chercher une aiguille dans une botte de foin, disait mon père. Et puis il n'est rien arrivé, Dieu merci, cela aurait pu être terrible, terrible, ma mère répétait le mot, effrayée, au fur et à mesure des images qu'elle s'inventait.

Nous avions eu le bon réflexe, enfin surtout ma sœur, de crier et de s'enfuir, loin de lui, crier et s'enfuir, il fallait toujours agir de la sorte. Parce que nous n'étions que des enfants. Et qu'il était difficile de se refuser à un adulte. Je n'ai pas résisté quand il est venu à moi. Il a passé sa main dans mes cheveux. Il a pris ma main et nous sommes partis tous les deux. C'était agréable comme sensation. Quelqu'un était venu me chercher. Quand je me suis retournée, j'ai vu que ma sœur jouait dans l'arbre. J'ai voulu lui dire au revoir, mais ma main était de plomb. J'ai juste regardé nos sandales dans l'herbe. Elles prenaient tout. Toutes les images. Toute la réalité.

Ma sœur a couru vers nous, me tirant par l'épaule, me faisant un peu mal. Je ne comprenais pas, mais je me laissais faire. Elle m'a pris dans ses bras, puis elle a crié. Son cœur contre ma poitrine. Son odeur d'eau de Cologne « Bien-Être », la bouteille verte avec les fleurs blanches sur ma peau. Il n'y avait plus rien de lui. Plus rien. Il ne s'est pas battu. Il nous a laissées partir. Il n'a pas lutté, il n'a pas nié, rien, pas un mot, il a laissé faire et moi aussi j'ai laissé faire. Je me suis laissé emporter par ma sœur, comme j'aurais pu me laisser emporter par l'homme, à cause de l'odeur des fleurs, de la nuit éclatée de soleil, du silence. Incroyable silence qui tombait sur l'herbe comme de la pluie.

LE CERCLE, PARIS 1994

Ils se tenaient par les épaules près de la piste du Privilège, ils ne dansaient pas mais ne restaient pas immobiles non plus, ils étaient cinq, avec tous le même air sur le visage. Ils ne semblaient ni tristes ni heureux, mais dans un état qui insufflait de la douceur, quand ils ouvraient le cercle, se séparant, quand ils tendaient leurs mains vers moi, me demandant de les rejoindre, de partager cette chose que je n'arrivais pas à identifier.

Ils étaient trois filles et deux garçons. Ils portaient du blanc, les peaux dans la nuit semblaient brunes. Je les imaginais d'un retour de voyage. Une traversée en bateau. Ils auraient pu être frères et sœurs. D'une même fratrie, unis.

À l'intérieur du cercle, les visages contre les visages, dansant à peine, ils m'ont proposé de passer la nuit avec eux. Il manquait une sixième personne. Je sentais le désir circuler, se mêler au mien puis s'en extraire. Déclinant leur invitation, je suis devenue leur adversaire.

Le cercle s'est refermé sans moi, se déplaçant à la manière d'un animal dans les eaux froides d'une nuit d'hiver.

UNE PHOTOGRAPHIE D'OLEG KULIK, PARIS 2008

Il était nu, à quatre pattes sur le capot d'une
voiture, tenu en laisse par un autre homme. Il
aboyait sur les passagers dont on ne voyait pas
les visages. Un reflet les protégeait. Ses paumes
et ses genoux abîmés. Son visage tendu. Ses
reins cambrés. Son dos comme un cou. Ses
cuisses écartées.

Les visiteurs de l'exposition détournaient le
regard dès qu'ils comprenaient. Ce n'était pas
l'histoire d'un homme qui jouait à être un chien.
C'était l'histoire de tous les hommes et de toutes
les femmes qui, en le regardant, éprouvaient un
désir brutal et immédiat. L'obscénité ne venait
pas de l'image. C'est elle qui venait à l'image. Le
désir se propageant comme une maladie.

Je ne pouvais m'empêcher de penser aux
rapports de soumission qu'induisait parfois

l'amour ou la fin d'un amour. Il y avait toujours un des deux partenaires qui faisait le
chien, tenu et muselé dans sa course.

DIANA, ZURICH 1982

J'étais allongée dans son jardin, je ne voulais plus bouger, c'était le début du printemps, la terre vibrait sous moi et je vibrais sur la terre, c'était une réponse, de l'une à l'autre, de l'une vers l'autre, un secret partagé. Couchée sur le ventre, le soleil contre la nuque, je regardais Diana au travers d'une tige transparente, surgissant en stries, derrière la baie vitrée de son salon, dans sa cuisine, dans l'escalier qu'elle montait, à la fenêtre de sa chambre. Elle était encore plus belle, comme derrière un filtre, cela me faisait penser à une feuille de papier-calque glissée entre nous deux, me protégeant ainsi des larmes. Quand je la regardais de trop près, il m'arrivait de pleurer parce que je savais que la vie allait nous séparer. Nous étions incompatibles. C'étaient ses mots à notre sujet. Nos cœurs se défendaient.

Nous prenions le train ensemble, de Zurich à Kloster là où elle vivait, souvent seule, sa mère voyageant pour ses affaires. Elle avait perdu son père. Elle n'en parlait jamais. Il était enterré au Brésil. J'avais des images de plaines et de forêts. De villes bruyantes et de chambres silencieuses. Images que j'inventais à partir des photographies qu'elle m'avait montrées.

Elle vivait comme une femme, s'occupant de sa maison, recevant ses amis, ses amants. En marge de notre âge. Je passais mes week-ends chez elle. Je voulais y passer ma vie. Je me sentais libre. J'avais choisi. Je l'avais choisie. Elle. Diana. La tristesse prenait vite entre nous. Une tristesse physique. J'étais triste du cœur et du ventre. Diana disait que rien ne me suffisait. Qu'il me fallait toujours plus. Que c'était une folie de ne pas me satisfaire de ce que j'avais. Elle disait que l'on ne pouvait pas tout donner à quelqu'un. Qu'il fallait garder en soi des réserves d'amour. Qu'il ne fallait pas donner son âme. Je me représentais l'âme comme une bulle, bleue, qui volait, de cœur en cœur. Une bulle que je lui confiais.

Je voulais toujours plus parce que j'avais peur de perdre ce que j'avais. Ce que j'aimais. Ce qui me donnait le vertige. Le jardin, le soleil sur ma peau, la tige derrière laquelle Diana dansait sur

Nick Kershaw, *Wouldn't it be good to be on your side*. Nos nuits où elle restait au bord de moi. Ce n'était pas tout mais c'était déjà grand. Elle embrassait ma nuque mais pas ma bouche, mes yeux mais pas mon ventre, mes épaules, mais pas ma poitrine. Elle promettait et elle retirait. J'inventais une chanson en antidote à ma douleur (donner, reprendre, donner, reprendre, donner, reprendre). Je ne dormais plus, je la regardais. Diana nageait sous ma peau. Elle donnait plus au lycée. À cause des autres. Les rendant fous ou jaloux. Prenant ma taille, mon bras, m'embrassant le cou, écrivant des mots qu'elle faisait passer de main en main pendant les cours. Elle écrivait toujours trois fois – Je t'aime. Pour ne pas que j'oublie. Pour que j'en sois sûre.

Notre amour existait mais nous n'arrivions pas à le partager. Incompatibles. Nos sangs ne se mélangeaient pas. Je m'attachais quand elle fuyait. Je refusais de revenir quand elle m'appelait. Puis je tombais. Notre lien échappait au monde. Il allait plus vite que la vie. J'étais prise. J'étais happée. C'était cela l'amour. Ce n'était pas les autres filles ou les autres garçons. C'était Diana que j'inventais chaque fois que je la perdais, chaque fois que je la retrouvais. Entre nous, ce n'était pas tranquille. Elle ouvrait ma vie amoureuse.

Derrière la tige, elle ressemblait aux images des kaléidoscopes. Elle était multiple et changeante. Je n'arrivais jamais à la saisir. À la garder pour moi.

Je ne savais pas quelle trajectoire suivait Diana quand je m'endormais dans ses bras, quand nous prenions nos bains ensemble, quand elle me serrait contre elle dans le petit salon où nous regardions des films d'horreur pour nous alléger de notre violence, disait-elle. Enroulées l'une à l'autre, sans force, on oubliait notre colère.

Diana détestait m'aimer.

UN MICRO NEUMANN, PARIS 2008

Il était relié à un ordinateur. Il captait la voix de l'Amie qui serait fixée ensuite à des images en mouvement. À l'écran, le spectre de la voix faisait des lignes qui me faisaient penser aux lignes d'un électrocardiogramme. Toute la vie tenait là, ses lenteurs et ses vitesses, ses blancs et ses souffles. Les défauts étaient représentés par un segment vertical que l'Amie isolait puis effaçait.

Il lui était possible de tout corriger, de tout déplacer. Elle effaçait les souffles trop forts, démontait les silences trop longs.

Elle était précise, exigeante.

Je voulais lui soumettre mon cœur, ses manques et ses excès. Je voulais qu'elle le relie à un autre cœur, qu'il guérisse de ses doutes, de ses tourments.

J'imaginais le spectre d'une voix pendant l'amour telle la radiographie du plaisir.

DEUX FEMMES, FONTAINEBLEAU 1978

Je ne devais rien dire, je ne devais pas avoir de mots, je ne savais même pas s'il y avait un mot pour cela, je devais faire comme si de rien n'était, je ne devais pas regarder leur chambre, le lit, je ne devais pas fixer leurs yeux, leurs mains, je devais rester au salon, je ne devais pas suivre la visite de la maison, je devais attendre. Que les autres reviennent. Les autres qui étaient comme des étrangers pour moi, parce que plus rien ne comptait, je voulais rester là, qu'elles me trouvent une place, je ne voulais pas les quitter, il devait y avoir un mot pour ce que je ressentais mais un mot que je n'avais pas encore entendu ou un mot qui n'existait pas, un mot qu'il fallait inventer. C'était un sentiment de filiation. Elles n'étaient pas mes mères mais je me sentais d'elles comme on se sent d'une nationalité. Je trouvais ce qui se creusait en moi depuis l'enfance. Je me retrouvais. C'était comme si on me disait – Tout va bien maintenant, tu n'es plus seule. C'était cela qui arrivait, dans la maison de ces femmes que nous étions venues voir par hasard, parce que nous étions dans la région, parce que l'une d'entre elles avait connu ma mère à l'université. Je n'avais pas peur. Je n'avais pas de désir, mais je ne disais rien, ni bonjour ni merci, parce que je n'avais pas les mots. Je n'entendais rien, ni les voix ni la musique. La maison se refermait sur moi et un nouveau monde s'ouvrait. Une nouvelle possibilité. Une autre vie que celle que j'avais l'habitude de vivre et que je considérais comme la vie des autres. Parce qu'elle ne ressemblait pas vraiment à la mienne. Y manquait l'essentiel, la vérité. Et la liberté de vivre cette vérité, de la faire éclater au grand jour. D'en être fière. Je basculais. Je ne regardais pas les tableaux, les photographies, le canapé sur lequel j'étais assise. Je ne regardais pas les mains, les yeux, les bouches. Je ne regardais même plus le monde dans sa globalité. Il ne fallait rien dire, rester dans le salon, ne pas regarder la chambre, avec le grand lit, ne pas regarder les tableaux ni les photographies, il fallait accepter ce que l'on me donnait à boire, il fallait écouter leurs voix, ne pas les fixer.

Ce sont des gens comme les autres, avait dit ma mère, après, dans la voiture.

NON, elles n'étaient pas comme les autres. Mais comme moi. J'étais excitée d'échapper à la vie des autres. D'avoir à suivre un autre chemin que celui que l'on avait tracé pour moi. D'écouter mon cœur et ma peau. De ne pas regarder en arrière. D'avoir la certitude que le désir, dans notre cas, constituait une sorte de destin.

LES PARADIS, PRASLIN 1997

C'était le ventre de l'Afrique et mon propre ventre, couchée dans l'océan que j'appelais le Bain de lait. Rien ne pouvait succéder à cet état – l'apogée. Rien ne viendrait le défaire, à l'image d'un état complet qui ne pouvait laisser que des regrets.

La terre alentour n'était pas la terre. Le soleil qui frappait tenait un message que je ne devais ni écrire ni prolonger, le racontant un jour à demi, ne voulant ni le transmettre ni le partager.

Nous rédigions avec l'Amie des cartes postales que nous gardions pour nous, les découvrant des années plus tard comme si elles nous avaient été adressées.

SASHA, PARIS 2009

Dans la voiture de taxi qui me reconduisait à mon appartement, je faisais l'inventaire de l'espace que j'avais occupé – le garage, l'ascenseur, le salon, la cuisine, la chambre, la salle de bains, le jardin – comme les preuves d'une histoire que je n'arrivais pas à posséder en entier. Nous construisions une fable qui n'existait qu'à l'instant où nous la vivions. En un sens, nous étions contemporaines de notre amour.

Comme on entrait dans la chambre d'hôtel, j'ai remarqué nos deux noms inscrits sur l'écran de télévision. X se disait émue de cela, c'était comme si on était mariées. Elle disait que l'on ne pouvait pas lutter, quand c'était écrit, que cela existait et qu'il fallait un papier, un papier officiel pour me retenir. En face de l'hôtel, il y avait une tour dont le toit était recouvert d'antennes. Je pensais aux voix qui arrivaient et se répondaient. Je pensais au reste du monde, à tout ce que je voulais connaître, à tout ce qui m'attendait. Je refusais de voir nos deux noms liés, passant les chaînes, une à une, hypnotisée par les couleurs. Je m'arrêtais sur CNN, reconnaissant le visage de Pierre Bérégovoy. On annonçait sa mort. Il y avait des images de Paris puis d'une route avec des arbres. X disait qu'il ressemblait à son père. Qu'elle ne voulait ni regarder ni savoir. Parce que c'était trop triste.

Dans les rues, X disait ne pas aimer le visage qu'elle voyait quand elle me prenait en photographie. Elle ne me reconnaissait plus. J'avançais comme un fantôme.

Je vivais nos jours comme j'aurais pu vivre des jours de peine. Je faisais des efforts. Rien ne circulait. Depuis notre rencontre, je n'arrivais plus à écrire. Au début, j'y voyais une forme de liberté. De ne plus savoir. De ne plus y penser tous les jours. De cesser de doubler la vie, de la reconstruire. De ne plus avoir peur. Parce que l'écriture c'était avant tout l'histoire de la peur. La peur qu'elle ne revienne pas. La peur de l'échec. C'était renoncer au désir des autres aussi. Je passais mon tour. X disait que j'avais eu de la chance pour mes deux premiers romans. Et que la chance ne revenait pas, sinon ce n'était plus de la chance. Elle me conseillait de trouver un vrai métier.

J'avais pris un carnet lors de mon voyage à Berlin. Je recommençais à noter. À bâtir. J'élaborais des débuts. Je dressais des listes d'auteurs, Violette Leduc, Flannery O'Connor, priant pour qu'ils me protègent. Qu'ils me transmettent leur force. Que l'écriture naisse des autres. Il y avait ce livre de Faulkner, *Les*

Palmiers sauvages. J'aimais son titre. Il me reliait à l'Algérie.

X aussi faisait des listes. Depuis toujours. Elle disait qu'il lui fallait toujours quelqu'un dans la tête, quelqu'un à qui penser. Que c'était comme une enquête policière. Une liste de filles, de femmes. Une liste de cœurs à prendre. Elle l'appelait la Liste de l'Avenir.

Quand elle me demandait mon avis, je lui répondais que personne, à part moi, ne pouvait partager sa solitude.

Rue d'Alger, à l'angle de la rue de Rivoli, il est sorti d'une Aston Martin, a ouvert le coffre, en a retiré un sac de sport. Il avait les cheveux blonds et mi-longs. Il portait un short, un pull en V blanc et des chaussures de tennis.

Il m'a rappelé les idoles de mon enfance, un jeune homme libre dont personne ne pouvait échapper à la beauté, occupant tout l'espace, tout le temps, comme si plus rien n'existait autour, à part sa perfection et les rêves qu'elle induisait.

Il a embrassé le conducteur, agrippant sa nuque, avant de disparaître sous les arcades opposées au jardin des Tuileries.

L'homme qui a démarré la voiture aurait pu être son père.

LA PIETÀ, ROME 1979

La lumière qui tombait du ciel sur la pierre, les plis des vêtements, la peau, les yeux, le regard, la bouche, l'étreinte, la tristesse, le lien, la force de ce lien, le visage et les mains réunis, étaient pour moi la représentation précise de l'Amour ou de l'idée que je m'en faisais.

UNE PHOTOGRAPHIE DE ROBERT MAPPLETHORPE,
PARIS 2007

Un homme dont le visage n'existait pas. Il
portait un costume, un gilet, une chemise, une
cravate. De son pantalon sortait un sexe qui
avait l'air ajouté, à cause du contraste, entre le
vêtement et la peau, taillée de veines, de plis.
Cela ressemblait à une invitation. L'homme
attendait d'être touché. Lui ne ferait rien, à
cause de ses mains dans ses poches, à cause de
son regard que l'on ne voyait pas. La photographie s'équilibrait entre l'élégance du costume et
le surgissement du sexe, l'attention se raccor-
dant à ce dernier, comme l'on peut se raccorder
à un secret. Il nous était imposé, de par sa
forme, de par sa taille, de par ce qu'il induisait.
L'homme avait sorti son sexe de son pantalon
et le portait comme un objet, un accessoire à sa

119

tenue, objet précieux que nous devions admirer, envier ou vouloir.

Il y avait quelque chose d'animal, d'immédiat, une urgence à assouvir un désir, non le sien, mais le nôtre, nous qui le regardions, fascinés par ce corps que l'on devinait musclé, par l'épaisseur du membre, par la peau foncée qui jouait avec la lumière du flash, comme choisie par le soleil.

Il conduisait vite. Les marais glissaient derrière la vitre de la voiture, puis les maisons en bois, les jardins, notre pays. Tout y était possible. Tout y était permis. La liberté, la joie. Ce n'était plus l'Amérique, ce n'était plus l'océan, ce n'étaient plus les vacances. Nous étions chez nous, pour toujours. Il disait que c'était l'endroit de la révolution. Une terre à notre image. Une terre à nous. Il avait parcouru le monde entier. Il revenait ici comme l'on revient à un point fixe ou à une peau dont on connaît l'odeur. Nous étions en sécurité.

Je le regardais courir sur la plage. Sa course faisait comme des bandes au-dessus des sables, au-dessus des flots. La lumière ne baissait pas. Rien ne s'achevait. Tout débutait. L'amour, la promesse de l'amour et même si ce n'était pas de l'amour, cela y ressemblait. Il plongeait dans les rouleaux, se relevait. Le corps dressé était un corps sexuel. Il était fait pour cela, pour le plaisir sans fin. Une onde qui recommençait. Qui l'enveloppait. Des sables d'Austerlitz au phare du cap Cod.

Les hommes formaient ses contrées. Des pentes vertigineuses qu'il remontait à chaque fois. Il ne tombait jamais. Ses épaules s'ouvraient puis se fermaient. Des ailes dans l'été.

Sur sa page de profil (Facebook), je consultais ses photographies, cherchant ce qu'elle ne m'aurait pas déjà dit, traquant un indice, complétant mon savoir. Je l'appréhendais comme un sujet. Puis comme une science. Je visais la perfection. Je voulais tout connaître, tout comprendre.

Je ne reconnaissais pas certains de ses visages, certains de ses amis, son jardin sous la neige, interdite de son passé.

À bout d'images, je vérifiais si elle était *en ligne*, écrivant à une autre que moi. Quand son prénom apparaissait sur la liste des connectés, je sentais une petite piqûre sur ma peau qui ne durait pas.

RACHEL, PARIS 1999

Elle ne voulait pas toucher les seins d'une femme. Jamais. Elle disait que c'était cela qui faisait basculer d'un camp à un autre. C'était un geste irréversible et un geste d'appartenance. C'était choisir pour de bon, et même si elle revenait en arrière, elle en porterait la trace. Ses mains s'en souviendraient. À chaque nouveau corps, à chaque nouvelle peau d'homme. C'était un geste provocant et non un geste de désir. Une femme ne pouvait pas désirer les seins d'une autre femme. C'était impossible. On ne pouvait changer cet ordre-là. C'était dans sa culture. Les seins c'étaient pour le lait et les enfants.

Toucher le sexe d'une autre femme ne la dérangeait pas, il y avait moins d'implication, c'était comme toucher son propre sexe, elle connaissait, c'était un endroit que l'on ne voyait pas, on s'y enfonçait sans réfléchir parce que c'était comme s'enfoncer à l'intérieur d'elle-même ; il n'y avait aucune lumière, aucun symbole. Elle n'y voyait ni violence ni douceur, ce n'était plus une femme, ce n'était plus la mère, ce n'était plus le sein et le lait, ce n'était pas un homme non plus, c'était sa propre image qu'elle possédait enfin, à qui elle pouvait donner du plaisir, elle qui n'y accédait jamais. Elle s'interdisait l'idée que les enfants venaient de là, aussi, passaient par là, ce qui me faisait penser que les seins lui rappelaient sa mère et non la possibilité de devenir une mère, de donner la vie, et de veiller sur cette vie. Rachel craignait de retrouver sa mère au travers des femmes qu'elle désirait. Son désir revenait comme une maladie. Elle disait se faire rattraper et chuter. Ses histoires duraient quelques mois parce qu'elle s'attachait. Elle aimait avoir des habitudes avec une femme. Elle disait pouvoir passer une seule nuit avec un homme, puis ne plus le voir ; avec les femmes ses liens s'étiraient sur plusieurs mois puis elle brisait l'histoire ou se faisait quitter. Elle épuisait ses pulsions. Se vidait de cela avant de construire une vraie vie. Une vie avec un homme.

Elle voulait bien embrasser dans la rue. Faire du pied au restaurant. Embrasser dans le hall de son immeuble. Elle voulait bien dire je t'aime, j'ai envie de toi. Mais toucher les seins lui donnait la nausée.

Elle disait n'avoir aucun plaisir ni avec les hommes ni avec les femmes, mais avec les femmes, elle était au bord, comme on est au bord d'une falaise, parce qu'il y avait pour elle quelque chose de dangereux, un abandon qui lui faisait peur et qui l'attirait aussi. Il y avait une possibilité de plaisir avec les femmes, une possibilité infime mais qui existait et cela lui donnait une forme de satisfaction qui n'était pas de la jouissance mais qui s'en approchait. Une femme qui caressait les seins d'une autre femme, c'était cela la frontière franchie, c'était cela l'irréparable. Les baisers, les mots, ce n'était rien. Être prise par une femme ce n'était rien non plus, il lui suffisait de fermer les yeux, d'inventer, de se dire qu'elle n'était pas impliquée, que rien ne la rattachait à l'autre, rien d'important, rien de vital, que c'était juste la recherche de son propre plaisir, que son corps était comme une carapace, que personne ne percerait les secrets de son cœur. C'était une façon de s'aimer, de se réparer, de combler les vides, d'épaissir son existence par une nouvelle expérience qui allait la faire mûrir, elle se faisait du bien et elle était sûre que le bonheur contribuait à la connaissance de soi, en effleurant le plaisir elle allait devenir meilleure, pour après, pour sa vie de famille, pour ses enfants qu'elle aurait avec un homme, avec son homme. Elle aimait dire « mon » homme. Elle l'attendait. Il allait la sauver. Il fermerait son désir pour les femmes. Ce n'était pas les hommes, c'était « mon » homme, c'est-à-dire le meilleur des hommes. Elle disait qu'elle ne perdait rien d'elle avec une femme, qu'elle pouvait gémir et fermer les yeux en toute tranquillité, qu'elle pouvait se faire du bien, sans se compromettre, puisqu'elle restait fermée dans son cerveau. C'était elle et ce n'était plus elle à la fois. Comme elle ne donnait rien, on ne lui retirait rien non plus. Pour elle, ce n'était pas grave parce que ce n'était pas la vérité, ce n'était pas ce qu'elle espérait de la vie, de sa vie, ce n'était pas ses projets, ce n'était pas un homme et une femme, c'était juste en attendant.

Elle ne touchait jamais les seins parce que c'était vraiment la féminité aussi. Enfant, elle avait guetté ce moment où la peau se transforme, où les seins arrivent par poussées, où ils existent en secret comme deux disques durs qui roulent sous les mains. C'était important pour

127

elle, le premier soutien-gorge, c'était son premier pas vers les hommes et surtout vers son destin de mère. Les seins c'était la fin de l'enfance, devenant quelqu'un d'autre, quelqu'un que l'on ne pouvait plus serrer dans ses bras comme avant, quelqu'un qui s'enfermait dans la salle de bains, qui se cachait pour se changer, qui portait un deux-pièces à la plage. Quelqu'un qui avait une intimité.

Les hommes étaient fous de ses seins. Au début, elle adorait cela. Elle se sentait belle. Elle se sentait au-dessus des autres femmes. Elle se disait qu'elle pouvait avoir tous les hommes. Puis elle s'était lassée, parce que c'était trop facile, trop physique, parce que les hommes lui faisaient mal en les touchant. Elle les regardait faire, elle en perdait sa concentration et manquait son plaisir qui s'envolait quand arrivait sa colère. On ne devait pas froisser les seins d'une femme, c'était réduire ses chances du lait. Elle ne voulait pas devenir comme les hommes, avoir des mains d'homme sur les seins d'une autre femme. Cela la dégoûtait. Elle ne voulait pas avoir les mains sur la douceur des femmes parce que cela la dégoûtait aussi. Elle lui rappelait sa mère.

Cela la rassurait de ne pas pouvoir toucher les seins d'une femme. Elle se disait qu'elle n'était pas perdue ou qu'elle ne s'était pas perdue. Elle tenait son rang. Elle gardait ses convictions. Elle n'était pas homosexuelle. Elle cherchait juste à avoir du plaisir. Elle se sentait fragile mais pas perdue. Elle retrouverait un jour une vie normale. Elle se battait pour cela, y travaillant avec celui qu'elle nommait le docteur. Elle le voyait trois fois par semaine pendant une heure. Elle voulait le voir tous les jours. Comme Marilyn Monroe. Lui ne voulait pas, il disait que c'était trop, que cela l'aurait fait tomber dans quelque chose de contraire à la vie. Quelque chose de morcelé puisqu'il était toujours possible d'interpréter ce qui arrivait, que l'on trouvait toujours un sens ou une signification aux événements. Elle voulait qu'il la guérisse de son attirance pour les femmes. Elle ne voulait plus chuter. Ce désir était un caillou dans sa chaussure. Il lui avait fait la promesse de trouver la faille en elle. Il remonterait à la source. Il trouverait une solution. Elle le voyait comme un père. Elle disait qu'il ne l'attirait pas physiquement. Elle le trouvait un peu sale. Il n'était pas soigné. Mais son intelligence effaçait les détails qui, dans un autre contexte, lui auraient donné du dégoût.

Elle appelait ses histoires avec les femmes sa *situation*. Elle disait – Un jour, je réglerai ma situation. Elle notait ses rêves dans un cahier à spirale. Elle les notait dès son réveil, de peur qu'ils ne s'égarent après sa nuit. Elle faisait des rêves d'une grande violence.

Un jour, elle avait oublié son cahier à la caisse d'un grand magasin. Il y était resté la nuit entière. Elle était sûre que quelqu'un l'avait ouvert et lu. Elle avait honte d'aller le chercher. Elle avait honte de sa haine. Elle en avait peur aussi. Elle disait que sa haine était un animal qui avait grandi à l'intérieur d'elle-même. Un animal qu'elle n'avait pas su dresser. Elle avait peur qu'on ne la prenne pour une « hystérique » ou pour une « mal baisée », c'étaient ses mots. Elle disait qu'elle y avait écrit ce qu'elle ne pouvait plus raconter à voix haute. Y figurait son histoire avec un para qu'elle avait rencontré dans une boîte de nuit. C'était pire que sa haine. Pire que les mots qu'elle notait sur moi. Elle avait dansé avec lui pendant une demi-heure. Elle s'était collée à sa peau. Elle avait senti sa sueur, puis son sexe contre elle. Ils ne se parlaient pas. Ils dansaient puis ils ont cessé de danser pour boire. Ils étaient à une table en retrait de la piste, du bar, des clients. Elle lui avait caressé le sexe au travers de son pantalon. Elle ne savait même pas s'il parlait français. Elle disait qu'il était bien plus qu'un inconnu, qu'il était un étranger, dans le sens où il était étranger à tous les hommes qu'elle avait rencontrés. Elle ne voulait pas connaître son prénom. Elle s'était dit qu'il était para à cause de son corps et des vêtements qu'il portait. Elle aimait bien cette idée, la trouvant excitante. Ne pas parler du tout était une façon d'enlever quelque chose d'humain entre eux. Et cela donnait une possibilité au plaisir. Elle était sûre de l'avoir fait jouir et c'était une grande satisfaction pour elle. Parce qu'il ne l'avait pas embrassée. Qu'il n'avait pas touché ses seins.

Elle avait accepté l'argent qu'il lui avait donné avant de la quitter. Elle disait que cet argent, elle le redonnerait au docteur. À celui qui allait la sauver.

Rachel partageait ses secrets avec moi mais je n'étais pas sûre qu'elle en avait vraiment envie. Elle ne pouvait pas faire autrement. J'étais devenue son cahier de rêves. Ce qui me faisait penser au titre d'un livre que je n'avais jamais écrit – *Le Partage des peines*.

Elle disait qu'elle ne l'avait jamais donnée à personne. Que c'était un geste d'une grande importance. Que ce n'était pas qu'une question de confiance. Que c'était bien plus que cela. Je ne devais pas hésiter à m'en servir. À lui faire des surprises. À venir à l'improviste. Elle l'avait attachée au bout d'un ruban. Elle disait que cela faisait couple. Que cela la rassurait. Qu'elle ressemblait à toutes les femmes. Qu'elle avait besoin de construire. De se projeter avec moi. Elle avait envie de donner un sens à sa vie.

Je n'arrivais pas à me représenter l'avenir. Je n'y étais jamais arrivée. Je marchais dans le présent, sans en percevoir le début ni la fin. Je vivais au jour le jour puis dans la crainte d'égarer sa clé. Que l'on ne m'accuse d'un sinistre ou d'un cambriolage.

132

LE CHEMIN, ALGER 1977

Derrière la Résidence, un chemin de terre caché dans les herbes hautes, un passage secret dont on ne connaissait pas la fin. Enfant, j'en avais peur parce que je ne savais pas où il menait. On disait que c'était le chemin du Diable, qu'il fallait l'éviter sinon les herbes se refermeraient sur les corps comme un piège de fer. On disait qu'il ne fallait pas y penser, surtout la nuit, ne pas se le représenter, ne pas imaginer son issue sinon on ferait venir le Diable dans sa maison. Par un simple coup de vent, il se propulserait du chemin à la chambre et nous enfermerait à jamais dans notre sommeil qui serait un faux sommeil, fait de mauvais rêves et de mauvais présages. Ma sœur disait que le Diable pouvait apparaître sous la forme d'images *subliminales*, des images que l'on ne voyait pas avec les yeux mais que le cerveau percevait, par un troisième œil, à l'intérieur de soi, un œil qui aurait une autre forme, une autre texture, une sorte de trou qui happait toutes les informations et toutes les lumières du monde, lumières trop basses ou trop aveuglantes, nécessitant un organe d'une autre composition. Mais le Diable pouvait aussi prendre l'apparence d'un homme, seul, assez beau, dont il était impossible de se méfier.

En grandissant, j'associais l'idée du Diable à l'idée du désir, apprenant que des hommes et des femmes se retrouvaient au bout du chemin, cachés par les herbes hautes, libres et fous d'envie.

Je décidai un jour de m'y enfoncer. La fin de mon enfance ressemblait à du plomb, je voulais m'en affranchir, me mêler aux autres qui jouissaient de leur existence. Les herbes étaient encore plus hautes que dans mon souvenir. Je n'avais pas peur du Diable, mais des serpents que j'entendais glisser à chacun de mes pas, ignorant s'ils fuyaient ou avançaient vers moi pour me mordre. J'imaginais sous la terre le réseau des racines qui ressemblait à une chevelure de femme, aussi emmêlée que mes idées. J'avais du désir, mais un désir sans objet. Un désir orphelin. Un désir qui frappait mon ventre. Un désir qui se retournait contre moi. J'avançais vite, superposant les images que je nommais les images fixes – ma chambre, mon lit, mon bureau, l'appartement, les dalles rouges du balcon – à des images en mouvement qui coupaient ma tête en deux – ma nuque, mes mains, ma force quand je montais à la corde ou sur le portique de mon école, mes épaules, mes cuisses. Je me sentais séparée de moi. Je désirais mon corps qui n'était plus le mien. La chaleur montait de la terre. Je courais, à cause de la peur, non celle du Diable ou des fantômes, mais la peur de ce que je n'arrivais pas à contenir, à recouvrir. Ce n'était ni la peur de la mort ni la peur du ciel qui écrase, ce n'était ni la peur du vide ni celle du néant, c'était la peur de tout ce qui remplit, de tout ce qui submerge, de tout ce que je ne pouvais pas contrôler en moi et qui montait, montait, montait. Je pensais à la sève, au flux, au sang, je pensais que je faisais partie de la nature qui se dressait autour de moi, je pensais que ma terre était mon château, que ses odeurs étaient mes odeurs, que mon histoire s'inscrivait ici, que mon désir répondait au désir du monde chaud qui battait comme un cœur sous la peau, et ce désir me donnait conscience de la vie, de sa réalité, j'y étais incluse, prise dans un mouvement qui m'emportait. Je nommais cette conscience de la vie la jouissance, elle m'unissait au monde, à ses vibrations, à ses cercles de plaisir dont j'occupais désormais le centre. Je pensais au poids de mon corps sur la terre, puis aux autres corps qui marchaient en même temps que moi, à tous nos souffles, je pensais aux voix qui pouvaient se répondre, je pensais aux mains qui pouvaient se saisir et former un pont entre les pays et les continents, un pont imaginaire entre les récifs et les côtes et puis je pensais à toutes les possibilités amoureuses, à toutes les histoires, à ce champ qui devenait un champ de plus en plus grand alors que je m'enfonçais après les herbes hautes sous une colonne de lumière, ivre et étourdie de soleil ; le chemin du Diable s'ouvrait pour moi, comme s'il m'invitait, comme si mon enfance était loin derrière, je pensais alors qu'il ne fallait pas avoir peur de l'inconnu parce qu'il ne fallait pas avoir peur de la vie, qu'elle était là comme un océan autour de moi, dans lequel je nageais pour rejoindre quelqu'un que je ne connaissais pas encore.

LE BUREAU, PARIS 1996

Je retrouvais l'écriture grâce à l'Amie. C'était un rendez-vous. Il arrivait dans une pièce séparée de l'appartement de la rue de Berne, là ou le soleil perçait dans l'après-midi, tapant dans mes yeux comme une épée.

J'entendais les trains partir de la gare Saint-Lazare comme autant de départs vers l'étranger. Je partais en voyage. Ma traversée incluant mon passé et mon présent, montant un édifice que je nommais l'édifice amoureux. Je n'avais pas conscience du travail accompli, je rattrapais le temps perdu, égrenant les mots comme des petites vengeances. Je n'avais plus un pistolet entre les mains mais un mouchoir qui essuyait les larmes. Je me liais au désir du livre aussi fort que le désir que j'aurais pu éprouver pour une personne.

L'Amie, le soir, attendait notre phrase fétiche :

– Je suis sauvée.

MARION, PARAMÉ 1982

Je descendais l'escalier qui menait à la plage du Pont. Nous étions le premier jour de septembre et le ciel était une autre terre, bleue et profonde, faisant ressortir les éléments autour de moi – la cabine du sauveteur, le mât du drapeau, le sable, les rochers nus, puis la mer, basse, que j'entendais gronder au loin, partie vers une autre rive.

Je regardais Marion de dos. Sa peau, ses cheveux. Ses gestes, amoureux. Elle nouait, un à un, les liens de sa voile de windsurf, préparant notre traversée. J'avançais vers elle, bombardée d'atomes d'azur qui crépitaient comme des insectes. Nos corps prenaient tout. Ils se répondaient sans se voir. Ils s'attiraient sans ombre. J'avais ce mot en moi, *félicité*. Il ne manquait rien, j'étais comblée.

Nous glissions vers l'île du Davier, aidées par le vent et les courants d'une eau dont je ne craignais pas le froid. Rien ne pouvait arriver. Je restais à l'arrière de la planche, la moitié du corps immergé, au gré des forces qui nous portaient. Nous étions au cœur de notre jeunesse, libres et sans ennui.

Je ne me retournais ni vers la plage ni vers l'escalier qui montait aux villas, sans temps et sans attaches, je naissais à partir de cet instant. C'était un bonheur triste. Un bonheur qu'il me faudrait réinventer. Ou réécrire, dans nos lettres après l'été, qui prolongeaient le soleil, rapportant par les mots ce qui ne pouvait se dire vraiment. Mon impuissance égalait mon désir.

QUELQUES VERRES DE CHAMPAGNE
ET QUELQUES CIGARETTES, PARIS 2009

Cela arrivait pendant des fêtes, quand on disait que la nuit prenait comme on aurait pu le dire d'un feu. Je n'aimais pas vraiment boire, je n'aimais pas vraiment fumer. Je rejoignais un état d'hypnose légère, me décollant à peine de la réalité, assez pour ressentir le cœur des autres, trop peu pour me délester des pensées qui faisaient une pression sur le mien.

Je fêtais le début ou la fin d'un amour, dont je cachais les mots ou les larmes, en public.

LES HOMMES, PARIS 1982

Les hommes appartenaient à la forêt des hommes. Elle était noire, dense et anonyme. C'était la forêt de mon enfance algérienne puis celle de mon imagination quand j'essayais de trouver ma place dans le monde. Les hommes que je ne connaissais pas restaient sans visage. Ce n'étaient plus des hommes, mais des ombres qui traversaient les murs de ma ville.

LE JUPON ROUGE, PARIS 1987

Dans les couloirs du RER, les carreaux sur les murs, les volumes déformés, comme si j'avais bu, l'Escalator, les Champs-Élysées. Je me retournais à chaque fois, vérifiant si ma sœur ne m'avait pas suivie depuis Saint-Germain-en-Laye où nous vivions.

C'était le dernier cinéma de l'avenue. Je prenais mon billet puis j'attendais, fixant les autres spectateurs, en majorité des femmes qui ressemblaient parfois à des hommes, dans leur manière de se tenir, de parler, de fumer. Dans leurs vêtements, leurs chaussures. Dans leurs voix que je captais comme des chansons, me reliant à elles, pour me sentir moins ridicule, appuyée contre un mur, mon ticket dans la main, attendant mon plaisir. J'aimais qu'elles soient comme des hommes. Cela me rassurait.

J'aurais détesté qu'elles portent des robes, des jupes, des escarpins. J'aurais détesté qu'elles ressemblent à ma mère. Mon désir en devenait plus libre. Je trouvais ma place, dans le hall d'un cinéma, parmi des femmes qui ne me regardaient pas mais qui existaient. J'intégrais un groupe, me rappelant les images du MLF vues à la télévision. Je faisais partie d'une société.

Je venais pour la cinquième fois, regardant à peine l'ouvreuse de peur qu'elle ne me reconnaisse et qu'elle ne me dénonce à ma sœur et de façon plus générale au monde entier. Je me sentais jugée. J'inventais un tribunal. Je m'asseyais au plus près de l'écran, pensant que la lumière me protégerait. J'entrais dans le film, ma maison. Je changeais de place si un homme occupait mon rang, désirant me sentir libre sans penser que quelqu'un pouvait venir dans le noir se coller à moi, me caresser ou me gifler.

À part mes cheveux longs j'étais comme ces femmes qui ressemblaient à des hommes. Cela ne se voyait pas tout de suite, mais nous étions les mêmes. De la même nature. Du même feu. De la même pierre. Des mêmes penchants. Je pensais qu'il fallait raser les murs à cause de cela. Être un point dans la ville parmi les autres points. Ne pas se faire remarquer. J'y voyais une forme de délinquance.

Ce n'était pas un très bon film mais pour moi c'était le meilleur des films. À cause des baisers et des peaux nues. À cause des serments et des déchirures. À cause de cet amour, qui me semblait compliqué. À cause de Marie-Christine Barrault qui occupait l'écran puis mes rêves. Je voulais qu'elle m'embrasse. Qu'elle me serre dans ses bras. Je voulais que cela arrive, dans ma réalité, comme un miracle.

Il n'y avait pas de scènes de sexe. Les corps restaient cachés, pudiques. Les films de femmes ne montraient jamais rien. Comme si cela n'existait pas. L'absence d'un homme marquait l'absence de jouissance. Seuls les films pornographiques révélaient les étreintes, violentes ou non, douces ou non, révélaient le plaisir, qui explosait en présence d'un homme, par sa langue, par ses mains, par son sexe, ou son simple regard. Les femmes restaient attachées à l'image masculine. L'image du monde. En cela, elles n'étaient pas libres.

Je me rendais toujours à la séance de dix-sept heures. Je savais qu'il ferait encore jour en sortant. J'avais peur de la nuit. Peur de ma propre nuit qui coulait dans mon corps.

Je remontais les Champs, c'était le début de

l'été, des garçons et des filles se retrouvaient devant les galeries marchandes, se prenaient par la taille, le cou, s'embrassaient. L'air était doux, presque tendre, il allait bien avec les gestes que je regardais avec à la fois distance et envie. Je me sentais décalée, marchant sur une ligne que j'étais seule à voir, à suivre. Je n'étais pas comme les jeunes de mon âge. Comme je n'avais pas été un enfant comme les autres enfants. Je croyais en l'histoire de l'homosexualité. Elle n'était pas une révélation mais un état d'origine. Un état qui excluait. Parfois, je me félicitais d'être forte dans ma tête et de ne jamais avoir eu envie de mourir de cela. La vie ne m'offrait pas de place. L'amour se tissait sans moi. J'imaginais des tonnes de perles dévalant l'avenue des Champs. Un torrent qui ne m'emporterait pas. C'était plus facile pour ces garçons et ces filles. Ils se rencontraient, se choisissaient, s'aimaient, se quittaient. Cela existait sous leur peau, la même qui occupait l'écran de cinéma et que je voulais embrasser pour me sentir exister. Ils savaient où poser leur cœur. Ils n'étaient plus un mais deux.

À chaque fois je me disais que je devais suivre l'une de ces femmes du cinéma. Puis je me faisais un autre film. Ce n'était plus Marie-

Christine Barrault. Je m'imaginais dans les jardins, avant la Concorde, marchant au côté de quelqu'un que je ne connaissais pas. Qui aurait pu tout faire de moi. M'enlever. Me conduire vers une autre planète. L'extraterrestre de mon enfance, que j'avais tant prié, et tant attendu.

Un jour, un homme m'a suivie. Il était blond. Je l'ai tout de suite remarqué. Un regard bleu, des sourcils clairs. Un blouson de cuir en dépit de la chaleur, un jean, une chemise à carreaux, la peau blanche au visage, rouge au cou. Il était assez jeune. Athlétique, bien plus fort que moi, pouvant me soulever d'une main. Il a remonté l'avenue à mon rythme, en biais pour me surveiller sans se faire remarquer, a pris l'Escalator, m'a suivie dans les couloirs, a attendu ma rame de métro. Je me suis demandé s'il m'avait vue sortir du cinéma. Ou si le hasard nous avait réunis. Il m'observait, dans le wagon, changeant de place, pour être face à moi. Les strapontins. Je regardais le tunnel, volant son reflet dans la vitre. Je n'avais pas peur. J'avais honte. De l'avoir attiré. D'être ce que j'étais. Je savais qu'il savait. Les hommes savaient cela. Les penchants, la différence. La jeunesse qui s'égare. Certains hommes en profitaient.

Quand nos regards se croisaient, il ne baissait pas les yeux. Mon corps devenait froid. Je rompais avec l'été. J'allais être punie pour ce que j'étais. Puis j'ai pensé au jardin du Château que je devais traverser pour me rendre chez moi, chez nous, avec ma sœur. Je l'ai imaginée m'attendant ou me retrouvant en sang. Je me suis demandé ce qu'elle faisait à cet instant. Si elle lisait sur son lit comme elle avait l'habitude de le faire. Si elle fumait une cigarette à sa fenêtre. Si elle écoutait de la musique. Si elle pensait à moi. J'avais honte de lui mentir. De lui cacher le cinéma illicite. Elle ne se doutait de rien, me faisant confiance, ignorant mes démons. Je suis descendue deux arrêts après les Champs, il m'a suivie. Il a gardé sa main droite dans sa poche. J'ai pensé à un couteau. Je suis restée sur le quai, il m'a imitée. La rame ne partait pas. Je suis remontée dans le wagon, il est resté sur le quai. Nous nous sommes regardés. J'ai pensé qu'il y avait du langage entre nous. Un langage sans mots mais que je comprenais. Puis il a sorti un briquet de sa poche et s'est allumé une cigarette.

Quand les portes se sont fermées, il m'a fait signe de la main. Je suis allée m'asseoir et j'ai fermé les yeux, me représentant le long trajet des rails, les virages et les lignes droites, jusqu'à

Saint-Germain-en-Laye. Je me suis dit que j'aimerais avoir un amour unique qui dure toute la vie.

NAÏMA, BÉRARD 1978

Une image d'elle que j'appelais l'image supé-
rieure, se superposant aux autres images, grandissant dans mes pensées et prenant tout
l'espace de mon esprit. L'été, à cinquante kilo-
mètres d'Alger, sur un rocher semblable à une
île cernée de plates-formes elles-mêmes com-
posées d'algues durcies. Des plongeoirs. Mon
cœur battait à contretemps, deux coups puis
un coup, quand je montais vers le rocher.
Quelque chose allait se passer. Quelque chose
d'invisible. Un craquement à l'intérieur de
moi, que je serais la seule à percevoir. J'allais
m'ouvrir, à une personne et au monde qui
m'entourait que je nommais parfois, en
essayant de me la représenter, la Vie. C'était
difficile d'avoir une image de la vie, je ne pensais jamais à la ligne du temps, c'était plus

vaste, cela débordait de la ligne. La vie, l'invasion. La sève et la sueur.

Naïma allongée sur l'une des plates-formes que la mer recouvrait puis découvrait, jamais de manière uniforme, pensant au bruit de mon cœur ; deux vagues douces, puis une vague plus violente. Elle portait un maillot de bain blanc avec des rayures rouges et bleues. De l'huile solaire et des gouttes d'eau sur la peau. Un vêtement d'argent, à cause des reflets. Il y avait du ciel partout, une tache bleue qui n'en finissait pas de grandir et de combler les lignes, les reliefs, les ombres des falaises qui nous entouraient. J'avais l'idée d'une prison, une prison de pierre et de soleil, une prison d'envie et de silence. Les algues dansaient sous le corps de Naïma. Je fixais les rayures de son maillot, m'interdisant ses épaules et son ventre. Je les comptais. Elles étaient comme mon cœur, une et deux, une et deux.

Elle me demandait de m'approcher. Ce que je comprenais ainsi : de me mettre à genoux et de lui obéir. Elle avait peur de perdre du sang. Que cela se voie. Me demandant de vérifier sans jamais en parler à personne. Je ne sentais plus mon cœur. J'avais honte. De la regarder de si près, m'enfonçant dans mon désir, mes ronces. La tête me tournait. Je voulais me sauver, rejoindre les autres, plus haut sur le rocher. Je voulais plonger. Garder ma tête sous l'eau. Ne plus l'entendre. Elle demandait encore. J'avais honte de mes yeux. Ils prenaient tout. Tout ce qu'elle était, faisant des réserves pour les jours qui viendraient recouvrir ce souvenir irréel qui se transformerait en secret.

Elle perdait du sang. Je le lui disais. Cela se voyait. Ce n'était plus les rayures ou le bleu du ciel. C'était son sang, brun et non rouge parce qu'il ne provenait pas d'une coupure. Il se mélangeait à la mer. Il se mélangeait aux algues. Il se mélangeait à ses cheveux quand elle s'allongeait. Les falaises tombaient dans mon dos. Je restais à genoux et son sang venait sur ma peau. Nous étions en train de nous marier, chaque partie de nos corps composant la scène qui se dressait et se défaisait, sans aucun mot.

L'INTUITION AMOUREUSE, PARIS 2008

Je me couchais dans les bras de quelqu'un qui n'existait pas. Je n'avais plus faim. Je n'avais plus soif. Mon corps se creusait pour un autre corps, dont je n'avais aucune image. Un corps qui n'existait pas. Un corps qui me comblait. Je n'avais pas d'explication. Cela tombait. J'étais choisie. J'étais prête, à l'événement. Une peau recouvrait la mienne. Je l'acceptais. Je n'avais pas peur, volant au-dessus des rues, souriant à la foule.

Je comparais mon expérience à la révélation, regardant le ciel, interprétant les faits comme des signes ou des présages.

J'étais dans les premiers jours de l'amour courant vers une lande sans fin.

Je tissais un désir à venir, étourdie par l'inconnu.

L'APPEL TÉLÉPHONIQUE, PARIS 2002

« Il fallait que je t'appelle parce que j'en ai assez des mails, c'est du silence à chaque fois et du temps aussi, à attendre tes réponses, à attendre avant de t'écrire, à savoir s'il y a un délai, s'il faut jouer ou non, les mots creusent de l'intimité, oui creusent c'est vraiment le mot parce que je sens qu'il y a quelque chose sous ma peau depuis que tu m'écris, je me sens changée, c'est comme si tu étais entrée à l'intérieur de moi, comme si je ne pouvais plus faire semblant. T'entendre donne du sens à nos mois de correspondance. Cela existe, enfin. Mais je ne sais pas si j'ai la bonne voix et les bons mots, je me sentais plus forte derrière mon ordinateur, cela faisait comme mes livres, il y avait un écran. Je me sens nue, en danger, au début, tous mes liens passent par la peur, c'est une façon de me protéger, j'ouvre la porte mais je pourrais très vite la refermer tu sais, parfois je préfère ne rien vivre plutôt que de tomber dans les complications de l'amour. J'ai du mal à m'abandonner, c'est plus facile avec les mots écrits, parce que j'ai l'impression de ne les écrire à personne, je n'imagine jamais que l'on me lira par la suite, pour moi ce sont des mots à blanc comme on peut le dire des balles d'un pistolet qui ne tuent pas ; je ne dis pas que mes mots tuent mais je ne me rends pas compte de leur portée, je n'imagine pas l'affect qu'ils pourraient provoquer, c'est comme si je n'écrivais qu'à moi en fait et, là, je t'appelle parce que je ne veux pas m'écrire qu'à moi, je veux partager ou je veux être sûre que j'ai partagé quelque chose depuis tous ces mois, que ce n'était pas juste une construction de l'esprit ; tu vois j'ai compris, j'ai peur de la voix parce que c'est la chair, la voix, c'est le mot incarné. Je ne veux plus être dans le roman, mais dans la vie. »

LE FRUIT, PARIS 1998

Avec l'Amie au Petit-Cheval, rue d'Alleray, serrées l'une contre l'autre, ivres de rires, nous parlions, nous cherchions dans l'existence et dans tout ce qui se cachait derrière l'existence qui devenait un objet de désir mais jamais un sujet de défaite, tout se défaisant puis se reconstruisant. Février nous frappait d'un ciel avec des angles, nous étions cadrées, ici et maintenant, pour toujours. Il y avait sans cesse un livre entre nous, comme un pont. Il y aurait sans cesse un livre entre nous, comme la vie. Nos mots creusaient des galeries. Nous avions trouvé son titre, *L'Âge blessé*. Nous gagnions notre avenir, libres des peurs et des trahisons. Nous étions, deux, contaminées par un fruit dont l'intérieur était gavé de lait, une peau filandreuse, un gros noyau qui aurait pu ressembler à un noyau d'avocat, sa chair explosant dans la bouche, dense et molle à la fois. Nos peaux se dénudaient, on le savait aphrodisiaque.

SASHA, PARIS 2009

Il nous arrivait de rester encastrées l'une à l'autre pendant des heures, par terre dans sa chambre, sa porte-fenêtre ouverte, les rideaux tirés, le vent d'été entrant dans la chambre, dans une torpeur proche de l'évanouissement.

Parfois je pensais que c'était une histoire. Parfois je pensais que c'était une aventure. Les deux hypothèses me plaisaient.

LE VOISIN DU BÂTIMENT F, ALGER 1976

J'escaladais une grille haute et rouillée, avec des pics. J'avais peur de me blesser et d'attraper le tétanos, mot qui me faisait penser à un animal, comme notre voisin. Ma sœur lui avait rendu visite. Elle disait qu'il était si raide dans son lit qu'elle aurait pu casser des briques sur son ventre. Elle disait que ses muscles s'étaient transformés en pierre parce que son sang s'était infecté, et qu'il avait failli mourir de cela, le cœur pris dans une prison de ciment. Je pensais à lui tous les jours, priant avant de m'endormir pour qu'il ne meure pas. Je le trouvais beau, la peau pâle. Il avait toujours eu l'air malade, même sur les photos d'enfance qu'il y avait dans le salon familial. Il était plus maigre et plus petit que nous, le ventre creusé en maillot de bain, le regard fuyant quand je le croisais dans le parc de la Résidence, sa peau transparente le fixant à jamais dans le temps de l'enfance, dans ce qu'il avait d'imparfait, de non achevé.

Derrière la grille il y avait un champ que l'on avait brûlé à cause d'une invasion de criquets. Je marchais sur la terre noire, terre qui ressemblait aux imageries que les satellites rapportaient, que je parcourais, afin de découvrir une ombre, des traces de pas, un signe de vie qui laisserait présager de nouvelles espérances.

MARYLIN, PARIS 1990

Une danseuse au Memory's, porte Maillot, tous les vendredis soir, accompagnée d'une femme qu'elle appelait sa *fiancée*. Quand elle arrivait sur la piste, elle piétinait le monde. Un vol, l'espace lui étant réservé, entre des milliers de molécules qui la suivaient, nos yeux dans le noir. On disait qu'elle venait du Crazy. Elle portait des perruques blondes ou brunes, une capuche, des combinaisons, une robe de tennis le jour où je lui ai avoué mon envie de l'embrasser.

Quelques semaines plus tard, elle m'a invitée à sa table, m'offrant un verre. Je n'osais pas la regarder, brûlée par sa beauté. Je n'entendais ni ses mots ni ses rires. J'étais de l'autre côté de la ligne de démarcation, ni dans son terrain ni dans le mien. Je perdais ma voix. Je n'entendais

161

pas la musique. Je tenais mes jambes croisées. Je faisais tout, je ne faisais rien. Les heures passaient, immobiles et chaudes, puis sa *fiancée* a pris mon visage entre ses mains et d'une voix si douce, un murmure, a dit – Si tu continues, je vais défoncer ta petite gueule d'ange.

L'EXCITATION, PARIS 2009

Elle prenait dans les jambes, une ligne électrique, s'arrêtant au ventre, s'y concentrant, une décharge qui donnait le vertige. Elle arrivait à n'importe quel moment de la journée. Sans ordre ni logique. Son plaisir était fort et diffus à la fois, on aurait pu se la représenter comme une ligne saccadée quand explose l'orage, j'avais le mot de physique quantique, je pensais à un trop-plein d'énergie, à un débordement de forces, ou de frustrations. Le temps de l'existence se confondait à un autre temps parallèle au mien. Je ne me laissais pas aller, craignant qu'elle ne me submerge et que je ne puisse regagner la réalité, fixée à ce qui ressemblait au début du plaisir. Elle revenait de plus en plus souvent. Par cercles qui englobaient le monde et la planète, les étoiles et les avions supersoniques. Les particules.

Je n'éprouvais aucune honte à cela.

Quand j'ai appris que l'Amie partageait mon symptôme, j'ai pensé à un signe de l'au-delà ou à la présence d'une antenne relais dont on ignorait l'existence.

JOHAN, ALGER 1978

Il était assis devant moi, par choix ou par habitude je ne savais pas, c'était toujours sa place, la même depuis qu'il était arrivé, personne n'osant la lui prendre, chacun respectant, sans rien dire, parce que cela avait l'air important pour lui, les repères, et moi je faisais comme lui, je ne changeais pas, je restais dans son dos, à le regarder ou non, à sentir son odeur de savon ou non, à faire attention à lui ou non, cela dépendait, du jour, des cours, de mon humeur, de ma concentration ; parfois c'était un jeu de fixer sa nuque, ses cheveux, ses épaules, parfois il devenait invisible tant il ne donnait rien, c'était comme s'il le faisait exprès, comme s'il savait que je le regardais, que je l'épiais, que j'essayais de comprendre la personne qu'il était, qui m'échappait. Il ne se retournait pas, il croisait ses mains derrière sa tête, il ne donnait rien de son visage, rien de son regard, rien de son rire, rien de ses yeux, rien de sa bouche, il ne donnait rien de son histoire ou si peu. Il était arrivé à Alger en cours d'année, il portait un nom suédois difficile à prononcer, il était assez bon élève mais il travaillait pour ne pas avoir de problèmes, pour ne pas se faire remarquer, pour être libre, je pensais. Il portait des pantalons de jogging de couleur blanche ou noire, et des pulls malgré la chaleur, il ne donnait rien de sa peau, rien de ses gouttes de sueur, rien de ses grains de beauté. Je devinais une ligne blonde qui courait de sa nuque vers son dos, mais je n'en étais pas sûre, peut-être que c'était une ombre, peut-être que c'était mon imagination, peut-être que je cherchais quelque chose d'humain chez ce garçon plus grand que les autres, déjà musclé, qui n'avait qu'un seul ami, un certain Bruno qui l'attendait à la fin des cours et que je regardais avec envie. Ils marchaient ensemble vers les jardins de notre lycée, Johan semblait retrouver sa voix, il parlait en faisant de grands gestes, ils riaient puis s'enfonçaient derrière la forêt de pins, je les imaginais allongés contre la terre, les torses nus, les ventres collés. Johan revenait en courant de ses rendez-vous avec Bruno, après la sonnerie indiquant la reprise des cours, il revenait décoiffé, mais rien de sa peau, rien de son visage, rien de ses yeux, rien de son odeur ne le trahissait, rien ne débordait, tout était en place, juste devant moi, dans la torpeur de l'après-midi, me demandant ce qu'il y avait dans sa tête, ce qu'il dessinait dans la marge de ses cahiers, s'il regrettait sa vie, en Suède, s'il pensait à Bruno qui était dans une autre classe, s'ils se connaissaient depuis longtemps ou s'ils s'étaient rencontrés à la plage un jour, dans les rouleaux qui éclataient. Il était impossible à approcher, faisant tout avec vitesse – sortir de la classe, descendre les escaliers, manger son sandwich, quitter le lycée, rejoindre sa mère qui l'attendait près de sa voiture, parlant avec elle comme il parlait avec Bruno, avec des gestes de colère, comme s'il laissait exploser quelque chose qu'il avait tenu au secret tout au long de la journée, quelque chose qui le dévorait de l'intérieur, que personne ne devait savoir, qu'il ne pouvait confier, à part à Bruno peut-être, quelque chose qui le rendait violent quand il devait répondre aux questions, quand il s'enfuyait de sa place, se confrontant aux bruits du monde, quittant l'abri.

Johan. Ma mère tenant la bibliothèque de notre lycée, j'avais trouvé son adresse, non loin de chez moi. J'ai fouillé dans les fiches de prêts. Il avait deux livres en réserve *Le Grand Meaulnes* et *Les Chroniques martiennes*. Je l'imaginais sur son lit, les jambes croisées, happé par une histoire qui l'éloignait de la mienne, évadé de la réalité, d'Alger, du lycée, de la place qu'il occupait en classe, loin de Bruno qui, peut-être, le hantait, l'embrassait, le battait. Par jeu.

Mon désir se portait sur lui, sur tout ce qu'il nous cachait, c'était le désir de savoir et celui de mieux me connaître, comme un effet miroir. Je pensais l'aimer, mais d'un amour qui se retournait vers moi, lisant dans un article que l'on pouvait être attiré ou rejeter chez l'autre tout ce qui se rapportait à soi, selon un principe de cercle fermé, d'éternel retour. Il m'attirait parce que je m'attirais. Je le détestais parce que je me détestais. Ses mains étaient longues et fines, et je les trouvais soignées pour des mains de garçon. Quand il se balançait sur sa chaise, il penchait vers moi. Je prenais cela pour un signe, un signe d'attention. J'aurais pu le retenir à la force de mes bras afin qu'il ne se blesse pas en tombant. J'avais la force pour cela. Et l'envie que je qualifiais d'envie contrariée. Mais Johan ne tombait jamais.

Un jour, j'ai remarqué sur sa nuque une croix rouge, parfaite, j'imaginais Bruno la dessinant avec la pointe d'un compas, nu et appliqué. Plus je fixais la croix, plus elle grandissait. Je n'entendais plus rien, happée par sa blessure, une ouverture à lui. J'entrais dans son corps, essayant de lire ses pensées. Rien ne venait, le gris recouvrant tout, je restais dans un orage, prise à un piège dont je ne pouvais sortir. J'avais l'image des algues sèches et grises qui montaient le long des plages d'Alger. L'image selon moi de la mort. Rien ne circulait.

Il a quitté le lycée sans prévenir un mois plus tard, personne n'a pu expliquer son départ. J'ai pensé à un film dont j'ignorais le titre mais dont une scène restait. Un œil regardait par le trou d'une serrure comme un filtre, comme le cadre rétréci de la réalité.

Des années après, j'ai appris que Johan était une fille.

Je la photographiais pour capturer son visage et l'espace qui l'entourait. J'étais dans une démarche du souvenir alors que je ne l'avais pas encore perdue.

Je multipliais ses images, en vue d'un manque prochain. Elle était difficile à saisir, ne quittant pas ses lunettes de soleil, ou se cachant derrière sa main.

Je rêvais de nous filmer ensemble, de fixer la vie en train de se vivre.

PERSONNE, PARIS 2008

Serrer personne était plus qu'un exercice, c'était un défi de chaque nuit, de ne pas avoir peur de la solitude qui n'était pourtant qu'à demi, l'Amie dormant à l'étage.

Nos rêves se croisaient, flottant entre les murs de notre maison. Ils se mélangeaient.

Un jour nous rêvions d'une piscine, d'une course contre des chiens, un autre jour d'une vague noire qui avançait alors que nous étions au sommet d'une montagne.

Il était plus simple, au côté de l'Amie, d'affronter mes défaites amoureuses.

MEHDI, ALGER 1975

Un terrain de tennis au creux d'une forêt. Un lieu secret dont nous étions peu à connaître l'existence.

Je jouais tous les samedis avec la famille M. (le père, le frère et la sœur). Nous faisions des tours, préférant nous affronter un à un plutôt que de faire ce que nous appelions un Quatre, concentrant nos forces sur un adversaire unique, nous déchargeant, sans compter.

Pendant mon temps sans jeu, j'ai surpris Mehdi en train de parler à un homme qui voulait lui montrer son sexe.

Sans un mot, j'ai pris sa main et lui ai ordonné de rejoindre son père qui l'attendait pour la finale.

Il disait qu'il fallait se défaire de la tristesse, que c'était important, et si l'on pouvait laver nos sangs des histoires et des chagrins, il fallait le faire sans hésiter, parce que c'était cela qui donnait la peur de la vie et des autres, c'était cela qui empêchait d'avancer ; parfois il restait des heures devant son texte à apprendre sans rien en retenir, il n'arrivait pas à se souvenir parce qu'il y avait des bulles de tristesse dans son organisme et que, d'année en année, il accumulait les ruptures et il était sûr que cela n'était pas bon pour l'organisme, qu'il fallait s'en défaire, parce qu'il restait toujours quelque chose de quelqu'un en soi, que les autres et l'amour des autres formaient un dépôt à l'intérieur de son corps et ce dépôt n'était pas que sexuel, c'était un dépôt d'ondes plus ou moins positives, c'était comme si on subissait une irradiation, comme si l'amour c'était prendre les rayons de l'autre et parfois leur toxicité ; alors il me demandait de crier avec lui, près du lac, avant d'aller déjeuner au Chalet, crier tout ce qui me ruinait, tout ce qui stagnait au fond de moi, et il ne fallait pas avoir peur de ce cri, j'allais retrouver ma liberté.

Avant il n'arrivait pas à entrer dans mon histoire, c'était ce qu'il disait, quand nous faisions nos tours de lac comme deux prisonniers, tout était brouillé entre nous deux, cela ne prenait pas, nous n'avions pas de sentiments, pas d'attirance, pas d'intérêt, nous étions deux intouchables dont les corps ne s'attiraient pas, non par dégoût mais par ennui. Nous avions chacun trop de morsures, nos tristesses s'annulant au contact l'une de l'autre. Si l'on arrivait à crier ensemble, à se libérer des radiations des autres, on se rapprocherait, il en était sûr, c'était ce qu'il disait, il en avait déjà fait l'expérience, il ne fallait jamais rester avec sa colère, il fallait l'évacuer et si le cri ne suffisait pas il fallait taper dans les murs, ou dans les coussins, sinon la colère contaminait le sang qui devenait noir. On pouvait tomber malade de colère comme on pouvait tomber malade du cancer, de ce qui blessait ou énervait, étouffait. C'était une maladie, les autres, ils étaient dangereux, il fallait apprendre à s'en protéger mais sans se fermer en entier – comme moi je l'avais fait trop souvent, disait-il –, et les gens dont on tombait amoureux étaient encore plus dangereux que les autres, parce que l'amour était une obsession, puis le bonheur qu'ils provoquaient était encore une autre obsession, puis la tristesse d'un amour perdu était aussi une obsession, et c'était difficile de s'en défaire. Le cœur gardait tout. Bardé de cicatrices à la fin de la vie. Cela devenait mauvais pour l'organisme. Mais l'on ne pouvait vivre sans aimer puisque l'amour donnait aussi de la douceur et du bonheur, de par ce que l'on recevait (les attentions) et de ce que l'on donnait en retour et aussi à cause de la jouissance physique, c'était comme une vague qui lavait des autres histoires, qui lavait du sang noir, qui apaisait de la colère, qui adoucissait la tristesse. Mais on ne pouvait pas jouir de tout le monde. Une jouissance sans amour était une jouissance qui ne restait pas, que l'on oubliait vite, ou que l'on voulait oublier, parce qu'elle faisait un peu honte.

LA PLAGE, ROQUEBRUNE 2000

Le soleil ne venait pas, interdit. Son absence la rendait encore plus belle, détachée du chemin des douaniers, d'une maison sur un rocher que j'appelais la maison d'Ava Gardner en référence à *La Comtesse aux pieds nus*.

Le temps reculait. Ce n'était plus notre temps avec l'Amie mais un temps que nous rapportions ensemble, le temps de son père, le temps d'Eileen Gray, le temps de la Riviera, un temps qui formait de la nostalgie. Un temps de la couleur, celle des images des années soixante, des traversées, des fêtes, des villas du Sud enfouies dans les pins, un temps qui nous semblait heureux parce que nous ne l'avions pas connu.

Je nageais loin, sachant que des murs d'algues grises se dressaient dans mon dos. Je nageais dans un sillon creusé par Le Corbusier qui nageait loin sans avoir peur, parce que la mer était la vie.

Dans l'été à Paris, recouverte par la chaleur et les heures lentes, mon cœur devenait un espace en soi, que j'entendais battre chaque nuit et que j'imaginais en mare rouge traversé de bleu.

Je lui écrivais une lettre par jour pour nous relier. Je l'imaginais toujours seule, ignorant avec qui elle passait ses vacances, changeant tous les jours de lieu, impossible à repérer, comme un fait exprès.

Je regardais des photographies du pays qui restait pour moi un pays en guerre, l'imaginant dans les rues de Tel-Aviv (bruits, lumières) puis dans celles de Jérusalem (silence, tristesse), puis en lisière, perdue entre les étendues d'Eilat, des postes frontaliers et de la mer sans fond.

J'attendais son retour avant de poster mes lettres que je gardais sur mon bureau comme un rempart au malheur.

UN DESSIN DE PICASSO, PARIS 2009

Une baigneuse au crayon, allongée, derrière son corps, en fond, deux lignes parallèles, la mer et l'horizon, peut-être, l'espace du vide sans doute, comme une limite au ciel ; la moitié du corps, le visage, les bras et la poitrine, était plus foncée, peut-être à cause d'une ombre, peut-être parce que le sang était concentré dans la partie haute.

Les bras se tenaient en couronne autour de la tête, les mains jointes.

Un corps après le bain qui avait la position d'un corps après l'amour, ouvert et abandonné, une jambe relevée, le pied gauche sur le mollet droit, posture qui faisait penser à la posture d'un homme endormi après la jouissance.

Je pensais alors que la liberté avait un lien avec le pouvoir et la virilité.

180

UNE FILLE, PROVINCETOWN 2002

Elle dévalait Bradford Street à rollers puis descendait vers la baie. Elle allait si vite qu'il m'arrivait de penser qu'elle était une image ajoutée à mon voyage américain, une image que j'avais construite et que j'étais la seule à voir. Je la cherchais sur les plages des marais, sur la route du cap Cod, à l'Elephant la nuit, sans jamais la retrouver. Je ne connaissais pas son prénom. Je ne savais pas si elle vivait ici ou si elle était en vacances. Mais je pouvais restituer les traits précis de son visage, la forme et la densité de son corps, sa façon de patiner, de me regarder, les éclats que faisait le soleil sur la partie métallique de sa crosse de hockey, une lance qu'elle portait dans son dos.

LE DÉPÔT, PARIS 2001

Une fois par semaine, le premier étage était réservé aux filles. Les DJ mixaient en cagoule dans une cabine de verre. La musique était électronique. Une musique sans voix qui avait un rapport avec la mort. Au sous-sol, on disait que des hommes se faisaient battre pour arriver à la jouissance. Deux mondes occupaient la nuit, l'un couvrant les cris de l'autre. Quand je reprenais mon vestiaire je cherchais une image qui aurait confirmé la rumeur. Je ne trouvais rien, à part un escalier vide descendant vers l'obscurité.

Dehors, la ville formait un autre continent.

Avant de m'endormir, je composais le schéma du lieu fait de recoins, d'instruments et de pièces interdites m'inspirant de la salle de torture du musée de Madame Tussaud à Londres.

LE CIEL, ALGER 1974

Dans les herbes hautes, livrée à la terre chaude et molle comme une chair qui aurait porté ma chair, j'avais le vertige du ciel, me perdant bien après les nuages, bien après les parties bleues et traversées de bandes que les avions laissaient derrière eux.

Mon regard se tendait vers ce que je pensais être la fin du ciel, la dernière étape, le point culminant de l'Amour.

L'ENREGISTREUR, ALGER 1977

Tous les soirs ma sœur enregistrait nos voix sur un magnétophone de marque Grundig. Elle disait que c'était excitant de fixer nos voix parce qu'elles allaient rester après nous. Les voix. Elle les appelait les entités. Les considérait comme très importantes, presque détachées de nous. Elle disait qu'il fallait les garder, les consigner parce qu'elles pouvaient dire, bien des années plus tard, autre chose que ce que l'enregistreur avait capté. Elles ne cesseraient jamais de vivre. De raconter l'histoire. L'histoire des sentiments. Ma sœur tenait aussi un journal. Elle disait que les mots étaient des preuves à notre existence. Il fallait tout noter pour être sûre d'être en vie et non dans un rêve qui avait l'apparence de la vie. La mort était la fin du rêve, de l'illusion. Selon ma sœur, quand on regardait les choses, la baie au loin, les lumières de la ville ou même une part de soi, le ventre, la main, on regardait peut-être quelque chose qui n'existait pas, que l'imagination avait formaté. Nous avions tous des opinions, des avis, différents, et cela valait pour les choses importantes comme pour les plus anodines. Il y avait dans nos cerveaux des schémas, les images perçues passaient par ces schémas et en étaient modifiées. Il y avait plusieurs vérités. Et quand on en tenait une, il fallait la noter ou l'enregistrer.

Ma sœur m'invitait dans sa chambre et capturait ma voix. Je devais exprimer ce qu'il me semblait le plus important et le plus juste au moment ou je l'exprimais. Ma sœur fixait ce qu'elle appelait l'Arbre des vérités. Elle disait que ce serait intéressant un jour de tout réécouter et de comprendre combien on était multiple à l'intérieur de nous-mêmes.

À cause du micro intégré je devais me mettre à genoux pour que ma voix s'imprime. Ma sœur me demandait de ne pas mentir, parce qu'il y avait déjà du mensonge dans les mots, et même dans la vérité, parce que la vérité ne s'appliquait qu'à la personne qui parlait, et que cette personne interprétait déjà le réel à sa façon. Il y avait un surdosage du mensonge.

J'avais envie de lui raconter deux histoires, promettant de ne pas (trop) mentir, sachant que ce n'était pas grave, que tout le monde mentait, les mots étant des masques. Je restais le plus immobile possible, pour que la bande ne prenne que ma voix et non le bruit de mes gestes.

Histoire numéro un :

Dans le parc de la Résidence, sous le préau du bâtiment E avec Abbassi notre voisin. On mangeait les nèfles que nous venions de cueillir. J'ai fait une tache sur mon tee-shirt. C'était important de le mentionner. La tache. Tout allait passer par elle. Le clou de mon histoire. Elle s'élargissait au monde, colorant la peau d'Abbassi que je trouvais un peu jaune. J'avais des éclats de lumière dans ma tête. Comme si j'avais fixé le soleil. Tout passait par un filtre. Il n'y avait qu'une seule couleur à mon paysage. La forêt d'eucalyptus. Les escaliers. Les colonnes qui portaient notre immeuble. L'herbe et les graviers. Mon sang, bientôt, la tache me contaminant. Je ne disais rien à Abbassi, comprenant que ses mots avaient un lien avec ce que je nommais mon décrochage de la réalité. Il disait avoir hâte de faire l'amour avec une femme, de s'enfoncer dans son corps. Son frère aîné l'avait fait et c'était tellement bon qu'il n'avait pas de mots pour le décrire. Un sucre qui fond. Mieux qu'un gâteau. Comme du miel dans la gorge. Un océan chaud. Une nuit sans fin. Une musique inédite. Il disait que c'était le seul paradis sur terre. Que le destin de chaque homme devait être traversé de cela.

Je pensais que moi aussi j'avais hâte de vieillir. Pour faire la même chose. Pour plonger dans l'océan chaud. Mais à aucun moment mon désir ne se portait sur un homme. J'étais comme lui. Faire l'amour avec une femme. C'était évident, naturel. Comme le jaune de ma tache. Comme les arbres qui pointaient vers le ciel.

Mon désir n'était ni fabriqué ni influencé.

Histoire numéro deux :

Un mercredi, chez Karim, un ami d'école, qui m'avait invitée à déjeuner chez lui. Je suis arrivée très tôt, avant huit heures du matin parce que nos parents travaillaient et qu'il n'y avait personne pour m'accompagner plus tard. J'ai sonné à la porte, personne n'a répondu. Karim habitait un rez-de-chaussée. J'ai escaladé le muret qui séparait la rue de son jardin, attendant son réveil pendant une heure. J'avais un peu froid et puis j'étais gênée par une odeur qui prenait de plus en plus. Une odeur très forte. J'ai remarqué un tuyau d'où sortait une eau noire. J'ai posé un mouchoir sur ma bouche, de peur d'attraper le choléra. Je possédais une encyclopédie sur les maladies, j'en étudiais une chaque soir avant de m'endormir (modes de transmission, symptômes). L'eau était vecteur de virus mortels.

Vers neuf heures, la mère de Karim est sortie, en chemise de nuit, pieds nus, me demandant pourquoi je n'avais pas sonné plus longtemps. Que je risquais d'attraper froid. Je pensais au choléra, lui répondant la bouche à peine ouverte pour empêcher les particules de passer, de s'infiltrer. Ses fils dormaient encore mais je pouvais me rendre dans leur chambre. Karim serait content de me voir. C'était une bonne surprise. Il dormait avec ses deux frères. Des lits superposés. Il faisait sombre. L'odeur du jardin était là. Encore plus forte. Je me suis dit que l'eau noire venait peut-être de là, de la chambre des garçons. Qu'elle s'écoulait par un système de canalisation relié au tuyau. Quand Karim s'est réveillé il a dit que je devais sortir et l'attendre dans le salon parce que ce n'était pas un endroit pour moi, pour une fille. Moi je me sentais comme lui, comme ses frères, lui répondait que non, que, chez les garçons, il y avait toutes sortes de liquides qui sortaient pendant la nuit, dont un qui s'appelait le sperme. L'attendant à l'extérieur de sa chambre, j'ai pensé que le sperme devait être cette eau noire qui surgissait du tuyau pour nourrir la terre du jardin.

À la fin de mes histoires, ma sœur m'a dit que j'étais un bon sujet pour le magnétophone, la preuve incarnée que les mots ne voulaient rien dire, que les mensonges dépassaient la pensée. Je l'ai suppliée de me croire. Elle a refusé de garder la cassette parce que mes mots, même s'ils étaient faux, feraient trop de peine à notre mère.

Un jour, ma sœur a invité la fille de Madame T. pour une série d'enregistrements. Ma sœur trouvait que c'était bien d'élargir son cercle d'étude et que ce n'était peut-être pas une bonne idée de travailler avec moi, que nous manquions de sincérité l'une envers l'autre pour partager ce genre d'exercice, ce qui était injuste, ayant de nombreuses idées dans mon crâne qui devaient en sortir avant de germer en folie. Les idées s'entassaient dans notre tête, on

189

ne s'en défaisait jamais et même si on évoluait avec l'âge, il en resterait des traces, à l'état de sédiment.

La fille de Madame T. préférait que la séance se déroule chez elle, dans son appartement. Ma sœur m'avait confié le rôle d'assistante, ce que j'avais trouvé gentil parce que je faisais partie du projet, mais réducteur parce que ma parole ne comptait plus.

La fille de Madame T. avait perdu son père, un riche industriel, un an plus tôt. Elle vivait avec sa mère dans un très grand appartement qui n'avait pas beaucoup de lumière à cause des volets fermés. Madame T. disait que le soleil brûlait les yeux qui avaient trop pleuré.

Quand on est arrivées, elle nous a embrassées en nous serrant contre elle. Nous étions, ma sœur et moi, comme ses filles. Ses beautés. Son plaisir du jour. Deux princesses. Après elle m'a emmenée dans la cuisine parce qu'il fallait laisser ma sœur avec son amie qui avaient des choses à se dire que je ne devais pas entendre.

Je l'ai suivie dans un couloir qui me faisait penser au tunnel dessiné dans mon livre sur les extraterrestres. Madame T. n'était peut-être pas un humain. Elle allait m'enlever dans un vaisseau qui nous attendait sur la terrasse. Un voyage sans retour. L'intergalaxie.

Ma mère m'avait habillée en bleu marine (bermuda et chemise), avait peigné mes cheveux la raie sur le côté, plaqués avec de l'eau de Cologne. L'image de moi que j'ai surprise dans le miroir m'a fait sourire. Je n'étais ni fille ni garçon. Je venais moi aussi d'une autre planète mais on avait irradié ma mémoire à la naissance, effaçant tous les souvenirs de montagnes et de cratères rouges qui formaient mon pays d'avant.

Madame T. a dit qu'elle aurait bien voulu avoir un enfant de mon âge, parce que maintenant elle ne partageait plus rien avec Maïwen (sa fille). Moi j'avais l'âge où l'on n'a pas encore honte de sa mère. De son attachement.

Elle m'a donné une part de cake au chocolat mais j'avais du mal à respirer, ressentant la tristesse de Madame T. Des petites aiguilles plantées dans ma gorge. Je comptais les lattes du store de la cuisine, décidant de m'enfuir à la vingtième.

J'ai retrouvé ma sœur dans la chambre de Maïwen. Elles avaient relié un vrai micro au magnétophone, comme celui des chanteurs dans les émissions de variétés. Maïwen voulait chanter sur le disque de Sylvie Vartan avant de confier son histoire. C'était important d'entendre sa voix sur celle de son idole. Elle avait répété la veille pendant plusieurs heures *L'amour c'est comme une cigarette*. Nous devions la regarder et lui dire si elle avait ses chances pour ce qu'elle appelait le music-hall. J'étais sur le tabouret de son bureau, ma sœur sur son lit. Elle chantait, dansait. Elle fermait les yeux, ondulant. J'aimais bien la regarder. C'était comme un tableau animé. Je la trouvais belle, juste assez pour ne pas être intimidante.

À la fin de la chanson, ma sœur et Maïwen ont eu un fou rire dont j'ignorais la cause. Je me suis sentie en dehors de leur vie, isolée, ce qui m'arrangeait parce que je n'avais pas envie de leur ressembler. Maïwen s'est jetée sur ma sœur, lui tenant les poignets et se frottant contre elle, hurlant : Mon amour, oh ! mon amour. Ma sœur pleurait de rire. D'un rire que je ne lui connaissais pas. Un rire du ventre. Un rire profond. Puis j'ai compris qu'elles se moquaient de moi.

J'ai sorti un carnet et un petit crayon à papier de ma poche, dessinant une femme miniature qui marchait en balançant un sac à main. Mon père m'avait appris ce dessin qui me protégerait toujours si je ne me sentais pas bien. Je le répliquais à l'identique, entendant les talons de la petite femme couvrir les rires des deux amies. Je m'enfermais dans mon monde, priant pour que les Martiens viennent me chercher. Le temps passait.

Maïwen a confié son secret, exigeant de ne pas être enregistrée, acceptant que ma sœur prenne des notes pour son journal.

Sous la dictée, elle a écrit :

Un matin, je me suis réveillée, sentant quelque chose de bizarre en moi. Je n'ai rien dit à ma mère parce que depuis la mort de mon père elle a peur de tout. Et puis je ne peux pas tout lui dire non plus. C'est une personne fragile. Et c'est ma mère aussi.

Une autre vie s'était greffée à la mienne. Mais quand je dis vie, je parle de la vie organique. J'avais un deuxième cœur. Je l'entendais battre, sous le mien. Il n'avait pas le même tempo, parfois plus lent, parfois plus rapide. Il se déplaçait aussi. Il pouvait battre au creux de ma main droite ou dans l'une de mes cuisses. Il glissait sous ma peau. Se nourrissait de mon sang. Et puis j'ai commencé à maigrir et je me suis dit qu'il prenait aussi de ma force. Je n'avais pas peur parce que c'était une sensation agréable. Je me sentais aspirée de l'intérieur. Un soir, j'ai failli m'évanouir devant ma mère. *Comme elle me trouvait pâle, elle m'a emmenée chez le médecin le lendemain. Il a tenu à m'ausculter seul. Ma mère attendait à l'extérieur de son bureau. Il m'a demandé de me déshabiller mais de garder mes sous-vêtements. Il a regardé l'intérieur de ma gorge. Il a pris mon pouls. Il a regardé mes pupilles avec une petite lampe. Après j'étais un peu aveuglée. Il m'a demandé de m'allonger sur la table d'examen. Elle était froide, en métal, j'avais l'impression d'être un animal. Il a palpé ma gorge, mon ventre. Quand je lui ai dit qu'un deuxième cœur battait en moi, il a posé sa main sur mon sexe, et j'ai eu l'image d'une noix dans sa coque. Je me suis sentie protégée. Puis j'ai senti le deuxième cœur grossir sous la main du médecin et éclater à l'intérieur de moi. Je me suis sentie libérée de l'organisme et j'ai senti comme si le sang circulait mieux en moi. Il m'a demandé de me rhabiller. A écrit son ordonnance sans me regarder puis a rejoint ma mère. Je suis restée seule, un temps. Sur le mur, il y avait un poster d'un écorché. Tous les noms des muscles étaient des noms que je ne connaissais pas. J'ai pensé que l'on était constitué d'inconnu et qu'il fallait l'accepter. Ne pas lutter. Ne pas en avoir peur non plus.*

Sur le chemin du retour, ma mère m'a dit que le médecin l'avait rassurée et que selon lui je souffrais de choses propres à mon âge.

Je regardais ma sœur, je savais qu'elle faisait semblant d'écrire, qu'il lui était impossible de garder les mots de Maïwen dans son cahier, qu'ils étaient comme une salissure, ces mots, n'étant pas sûre de leur valeur.

Je pensais que l'on ne pouvait pas tout dire et tout écrire, qu'il y avait une ligne à ne pas franchir, qu'il fallait savoir garder des choses pour soi, que toutes les vérités et tous les mensonges ne se partageaient pas avec n'importe qui. Quand Maïwen avait raconté son histoire, elle était allongée sur son lit et on pouvait voir le haut de ses cuisses parce qu'elle avait relevé sa robe. Je ne voulais pas regarder mais j'avais besoin de fixer un point parce que sa chambre se refermait sur moi et je sentais un courant d'air glacé et j'ai pensé que c'était son père. Un fluide invisible. Il s'enroulait autour de nous pour prendre de notre chaleur et de notre sang. Je pensais à cette histoire que j'avais lue dans un livre de contes africains où il était écrit que les esprits passaient par le souffle pour posséder les personnes, j'ai alors posé ma main sur ma bouche. Je refusais que le père de Maïwen entre en moi, associant cette idée à l'idée de la main du médecin qui était entré dans le corps de Maïwen pour trouver sa maladie. J'avais encore du mal à respirer, pensant aux milliers de bulles d'oxygène qui s'évadaient de moi et planaient au-dessus du sol comme les perles d'un collier défait.

La mère de Maïwen est entrée dans la chambre. Nous avons fait comme si de rien n'était. Ma sœur a rangé son cahier et son magnétophone. Maïwen a remis le disque de Sylvie Vartan. Dehors il y avait du soleil, du bruit, des voitures et des gens qui faisaient que nous n'étions pas seules au monde mais intégrées à ce que j'appelais le Globe. Et cela me rassurait de faire partie du Globe, de la chaleur, de la communauté. Cela me rassurait d'être une personne humaine. Les extraterrestres m'avaient oubliée. Ils ne viendraient plus me chercher, ils étaient passés à autre chose. C'était mieux ainsi. C'était mieux pour moi. J'aimais ma terre, ma sœur et mes parents. J'aimais mes rêves, même s'ils ressemblaient à des mensonges.

Maïwen dansait, sa mère, en arabe, a exigé qu'elle cesse puis, en français, a dit qu'elle ne l'avait pas élevée ainsi. En la regardant, je me demandais où se trouvait le second cœur dans son corps. Dans quelle partie il battait.

En rentrant, ma sœur m'a confié que Maïwen était une fille malsaine. Ce que j'ai compris ainsi : une fille malade.

Arrivées à la Résidence nous nous sommes allongées dans le parc. Ma sœur a dit qu'il fallait faire attention à l'herbe fraîche parce qu'elle pouvait, de manière indélébile, se photocopier sur nos peaux. La tristesse est tombée sur nous, comme le soleil avant la nuit.

SASHA, PARIS 2009

Elle disait que nos corps étaient faits l'un pour l'autre et qu'il était impossible que nous passions à côté de notre histoire qui était avant tout l'histoire d'une attraction à laquelle nous ne pouvions échapper, à laquelle il fallait nous soumettre. Épuisées dans la nuit, nous avions toujours la force de nous étreindre, de nous donner du plaisir.

Elle avait dit un jour que si elle devait me quitter, elle le ferait par écrit parce qu'il lui serait impossible de ne pas céder à la tentation.

Il y avait quelque chose entre nous qui allait bien au-delà du langage, bien au-delà de l'attachement. En cela notre lien devenait particulier.

198

UNE PHOTOGRAPHIE DE NAN GOLDIN, PARIS 2009

Une femme flottait, il n'y avait que son visage, que ses seins au-dessus de l'eau, le ciel, les nuages, la mer formant un cadre au corps devenu le sujet d'un tableau. Il n'y avait aucune limite sinon celle de la photographie. On devinait l'image se prolongeant, coupée par l'objectif ou le format. Nous n'avions aucun temps pour le jugement, happés, pris au piège, engloutis par l'océan. Aucune distance non plus, la couleur bleue agissait par contagion. Nous tombions à notre tour dans l'eau, soumis aux flots, à ce qui berce, au souvenir du ventre de la mère, aux plis du vent.

LA MAISON, PARAMÉ 1984

Je les entendais monter la nuit. Ils s'y ren-
daient tous, un par un, tous ceux que je
connaissais depuis l'enfance, tous ceux que je
voyais le jour à la plage du Pont, passant devant
notre villa, remontant.

La maison. La dernière du chemin. Blanche
aux volets fermés. L'arrosage automatique du
gazon. Les peupliers. Les allées de graviers. Le
passage obligé de l'été. Nous nous séparions en
deux groupes. Ceux qui l'avaient fait. Ceux qui
ne l'avaient pas fait. Oubliant nos serments de
fidélité. Nos souvenirs et notre douceur. Une
guerre se préparait.

Cela se voyait sur les corps. À la manière de
marcher ou de courir. À la manière de parler.
L'enfance n'existait plus, chassée.

De nouveaux liens se formaient. De nouvelles séparations s'amorçaient.

Cela n'avait rien à voir avec l'amour ou l'attachement. C'était une épreuve à passer, à franchir, à réussir.

On disait que cela faisait mal. Parce que c'était la première fois. Après on y pensait tous les jours. C'était bien plus que l'expérience du plaisir, acquise ou non. C'était une expérience de vie, qui élevait ou rabaissait. On n'était jamais indifférent à cela. Même ceux qui ne l'avaient pas encore fait. Malgré la douleur, on avait envie de recommencer. De s'y perdre. Surtout les garçons, les filles se plaignant d'avoir été volées de quelque chose. D'une partie de leur histoire. C'était la fin d'une période. Rien ne serait plus pareil. J'y voyais la marche du temps. Et une forme de violence.

Chacun, à sa façon, s'arrachait de son passé.

La nuit, j'imaginais les corps emmêlés comme un tableau parfait, chacun relié à l'autre, ne souffrant d'aucun manque, d'aucune frustration, animés d'un désir délié, sans fin, une ronde sexuelle à laquelle je n'étais pas conviée et qui me faisait réfléchir sur ma jeunesse qui n'était pas la jeunesse des autres filles et garçons.

Le lendemain, quand je les croisais sur la plage, je me sentais seule. D'une solitude qui s'inscrivait dans l'espace. Mon corps se dressait comme un arbre au centre de l'étendue de sable, entre deux extrémités : le port de Saint-Servan et les falaises de La Varde. Mon corps et sa virginité.

SASHA, PARIS 2009

Dans mon rêve, elle me quittait puis elle me demandait pardon. Je tenais son visage entre mes mains, puis sa nuque. Je lui disais qu'elle m'avait manqué mais que je n'étais pas vraiment revenue. Qu'il ne fallait pas confondre le désir avec l'amour. Que l'amour prenait du temps, qu'il se perdait sans parfois se retrouver.

Dans sa chambre, je surprenais un œil au plafond qui nous regardait. Je pensais qu'il nous avait toujours regardées. Qu'il nous était impossible de nous affranchir de nos consciences.

LA MACHINE À SOUS, DEAUVILLE 1996

Il fallait les toucher avant de jouer, sentir celles qui donneraient, celles qui ne donneraient pas, elles étaient vivantes, comme nous, l'Amie et moi, elles étaient méchantes ou gentilles, comme nous, elles étaient chargées d'énergie, comme nous, elles étaient muettes après une nuit sans sommeil, une nuit à trop prendre, comme nous, elles étaient belles, Betty Boop, La Tour de feu, Roll The Dice, elles faisaient peur, Les Orchidées, Le Chemin de fer, Les Dragons, elles nous dépassaient, reliées au signal du jackpot progressif, celui qui englobait toutes les sommes misées, tous les espoirs ou les déceptions des joueurs dont nous faisions partie.

Les rouleaux qui tournaient évoquaient nos histoires d'amour.

Nous attendions les trois sept comme l'on attend une réponse au désir.

SONIA, PARIS 1989

Les lumières du Studio A passaient comme des étoiles sur nos visages, nous devenions deux personnages d'un livre d'aventures, en mouvement, sur la piste, près du bar, nous fuyant et nous cherchant, nous retrouvant dans la rue au petit matin, dans le premier jour de l'été. Je ne la connaissais pas mais je la suivais, descendant l'avenue de la Grande-Armée, pensant à l'enfant que j'étais quand j'arrivais d'Alger pour une semaine de vacances, je me disais que ce quartier, le huitième, était Paris et ses promesses, que c'était un lieu important et qui vous rendait important et qu'il fallait descendre ses rues le corps droit, le regard vers un point, le point le plus loin possible, pour montrer que l'on avait un but, c'est-à-dire un avenir, et c'est ce que je faisais avec Sonia, après les jardins, après la place de la Concorde, nos pas étaient des pas de géant parce que nous évoquions nos projets, les livres que nous allions écrire, les personnes que nous allions rencontrer, de la vie qui coulait en torrent, nous emportant vers Saint-Germain. J'avais conscience de ma jeunesse, des possibilités qu'elle offrait. Un état de vitesse et de folie dont il fallait jouir. Et qu'il fallait occuper. En faire quelque chose. Je voulais *exister* ma jeunesse. Je voulais, à partir d'e'le, fonder mes rêves. Je disais cela à Sonia quand nous remontions la rue Monge, vers la Contrescarpe, là où elle vivait chez son ami d'enfance.

Elle devait appeler quelqu'un à Londres. Elle avait promis. Je l'ai attendue sur la place du marché, la regardant dans la cabine téléphonique. Elle me tournait le dos. Le ciel blanc de chaleur, comme des colonnes d'air qui auraient pu m'aspirer. Ses cheveux frisés et longs. Son corps fin. Un débardeur rouge. Les clavicules. Métisse. Je me promettais de ne pas oublier cette image.

Quand elle m'enlaçait dans la rue, je pensais que nous formions un tableau fixe. Un tableau photographique. Nous existions.

Chez elle, son ami se tenait sur le canapé. Il rentrait de l'hôpital. On ne devait pas trop s'approcher. Il avait une méningite. Elle n'était pas mortelle mais il avait peur. Il ne se sentait pas lui. Il avait subi une série d'examens. Il devait se reposer mais il n'arrivait pas à dormir, craignant de ne jamais plus se réveiller. C'était comme s'il avait reçu un coup de poing derrière la tête. Quand les médecins lui ont demandé s'il se droguait il a dit qu'il ne se piquait pas mais qu'il prenait des trucs de temps en temps, comme ça, pour accéder à quelque chose qu'il ne trouvait pas en lui s'il restait normal.

Il est allé se coucher dans sa chambre, nous laissant.

Quand Sonia m'embrassait je me sentais mal à l'aise parce que j'avais peur d'attraper la méningite. J'avais peur qu'elle ne vole dans l'air que je respirais, puis j'avais honte de ma peur, me rappelant le début des années quatre-vingt quand on pensait que le sida se contractait par la sueur, la salive ou les piqûres de moustique. Sonia disait que son ami rentrait de Grèce et qu'il avait dû tomber malade là-bas, par un mélange de fluides qui l'avait contaminé. Elle espérait qu'il s'était protégé contre autre chose que la méningite, sans dire le mot. Il y avait de la fatalité dans sa voix. Je ne disais rien. J'avais peur de la maladie. Parce que j'avais peur de la mort. Que j'associais parfois à la sexualité, à cause de la violence qu'elle engendrait quand elle était sans amour.

UNE ŒUVRE DE MARINA ABRAMOVIC, PARIS 2009

Une femme nue, avec une cagoule sur le visage. On ne voyait que son corps, sur fond blanc, un mur ou une toile tendue.

La cagoule noire, comme les poils de son sexe, renvoyant le regard d'un point à un autre.

Une nudité non invasive, non intrusive. Ni une gifle ni un affront, mettant en scène la fragilité des femmes, qui avancent nues malgré leurs vêtements, dans les labyrinthes des villes, objets de désir ou de déni d'une foule qui les regarde ou les ignore.

LE SMS, PARIS 2009

Je t'embrasse comme au premier jour de nous.

JULIEN, PARIS 1989

Au Boy, dans la nuit que je nommais la nuit incendie, me sentant loin de tout, de la ville, des gens mais aussi de la personne que j'étais, de mon histoire, de ma construction, n'arrivant pas à me mêler aux danseurs, torses et crânes rasés, à leur violence que je trouvais douce, la seule force affichée étant la force du désir. Un désir immédiat, proche de l'instinct. Julien avait rendez-vous. Il m'accompagnait au Kat, je l'accompagnais ici. Nous alternions nos soirées, sachant que toutes les images qui imprégnaient mon cerveau me serviraient un jour. Être, sortir, devenait une forme de travail ou de production. Rien ne se perdant, tout se recyclant. Il y avait peu de filles au Boy, Julien réservait une table pour nous, dans le fond, un peu cachée, pour que je me sente en sécurité,

211

disait-il. Je ne me sentais ni en danger ni égarée non plus. Je ne me reliais pas au désir ambiant mais à la tristesse. Une tristesse qui n'était pas comme les autres. Tristesse de la nuit, unique et à part, différente de celle du jour. Une tristesse qui avait la force des regrets, la nuit ne tenant pas ses promesses. Les corps avaient beau danser ensemble, les regards avaient beau se croiser, les mains avaient beau se prendre et se serrer, rien ne suffisait à combler le vide. On restait toujours seul, jusqu'à la fin. C'est ce que nous apprenait la nuit que je comparais à un mur qui ne cessait de s'élever. Un mur de séparation. Julien le savait. Pour s'en défendre, il aimait me voir à la clarté du jour, disait-il. Tout y étant plus vrai. Il lui arrivait, sans prévenir, de m'embrasser à l'arrêt d'autobus, au restaurant. Il voulait être comme les autres, même si nous ne savions pas qui étaient les autres, de quoi ils étaient faits (remords, espérances), ne sachant pas qui nous étions nous-mêmes vraiment. Je me laissais faire. C'était agréable de rejoindre la foule des amoureux. De s'y intégrer un instant. De ne pas se sentir jugés, suivis. Nos étreintes restaient d'une grande solitude, prenant nos corps comme deux boucliers contre la tristesse de la nuit qui serrait la gorge et installait du vide. Julien avait peur. Il le disait. Peur de ce qu'il allait devenir. Peur de renoncer à ses rêves d'enfant, à ce qu'il croyait. Peur de s'en détourner. La nuit formait un trou noir. Il y tombait souvent, s'y blessait.

Je cherchais avec Julien un garçon qu'il avait repéré quelques jours plus tôt, ouvrant une nouvelle chasse, une nouvelle obsession. Je cherchais parmi les hommes qui semblaient porter le même visage, comme un masque. Julien le décrivait comme un garçon d'une grande douceur à la peau blanche, ce qui l'excitait, ses veines faisant comme un arbre qui poussait dans sa chair, le surnommant le garçon transparent dont on aurait pu voir le désir battre, fendre son ventre. Julien aimait les particularités. Les beautés en biais.

Les danseurs faisaient une masse, se déplaçant de gauche à droite, compacte, tel un banc de poissons avançant d'un seul bloc, je me sentais sous la mer, dans un deuxième monde, n'entendant plus les voix du dehors. Tout se transformait, se déformait, la musique et l'excitation qu'elle générait recouvrait le réel. Mon cœur avait grossi, tout résonnait en moi. Je me tenais à l'extérieur de la vraie vie, dans une vie que je n'avais pas inventée, qui ne me correspondait pas mais qui était pour moi plus vraie que la vie du dehors, celle où je ne trouvais pas encore ma place, pratiquant le mensonge comme un exercice puis comme un ennui.

Nous passions par des rangées de corps, serrés les uns contre les autres. Vision d'un champ de marguerites sauvages en Algérie dans lequel j'aimais bien m'enfoncer parce que je me disais que j'allais me perdre, que l'on ne me retrouverait jamais, c'était sombre et dense et j'aimais l'odeur forte de la terre un peu mouillée, imaginant que des larves allaient saisir mes jambes et me faire tomber, aimant l'idée d'être prisonnière d'un monde invisible qui serait plus libre que le mien, limité aux contraintes de l'enfance.

Je sentais la chaleur des corps monter, et j'entendais grouiller les milliers de globules, les milliers de forces. Il y avait dans la nuit une urgence à vivre. Les tristesses se diluaient les unes aux autres. Les ravins s'ouvraient.

Malgré l'amitié qui nous unissait, je ne serais jamais proche de Julien. Il lui manquait une part de vérité, taisant ce qu'il ressentait vraiment au fond de lui, n'ayant aucun mot pour décrire sa peur qui n'avait aucun lien avec la mienne. Alors nous dansions pour oublier, je me serrais contre lui, devenant sa peau, sa sueur, son souffle, devenant son désir fou, celui qui nous faisait remonter la nuit comme l'on remonte un fleuve à la recherche d'un trésor qui n'existe pas.

LE RÊVE, PARIS 2009

Il fallait escalader une colline, marcher sur sa crête, prendre un chemin entre des arbres, sans lumière, remonter une falaise, descendre l'autre versant, marcher sur une plage dont le sable était fait de cristaux de sel, passer les rochers, et, là, l'océan était immense, d'une couleur qui n'existait pas, comme si le ciel y avait sombré. En me réveillant je me disais que je prenais des chemins compliqués mais que je savais changer de direction au bon moment, escortée par la chance.

Je m'appliquais à lui laisser des souvenirs de moi, à marquer sa maison, son quartier, ses chemins, à marquer sa peau.

Quand je la quittais, je laissais un mot, un dessin sur sa table de chevet.

Je parfumais ses draps avec mon parfum, j'oubliais ma montre, un vêtement.

Je vivais notre histoire comme si elle était en train de s'achever. Retenant de force ce qui m'avait au début donné le vertige et l'impression d'avoir trouvé.

Je n'écrivais pas à l'intérieur des livres que je lui offrais, craignant que l'avenir ne les trahisse.

LES APRÈS-MIDI BANDITS, PARIS 2009

Il n'y a plus de temps, plus d'espace, il n'y a que la spirale des mots entre l'Amie et moi, et ces mots font un décor autour de nous, un décor dont nous ne voulons plus sortir, parce que cette spirale de mots c'est notre histoire avec l'Amie, de dire, d'écrire, de raconter, notre histoire est une histoire de mots, lents et fous, qui disent et rapportent, des mots reliefs, des mots pleins, des mots qui comblent et révèlent, nous remontons nos passés, nous les faisons se croiser, d'Hydra à Podestat, de Paris à Alger, il y a une superposition de souvenirs, c'est comme si nous étions nées ensemble, il n'y a aucune fêlure entre nous, nous marchons sur la même ligne, notre seule peur étant la peur du temps qui passe, alors nous parlons, nous fixons les passés et les présents, nous fixons la vie, pour qu'elle reste, là, autour de nous, cette vie que nous aimons tant, nous la fouillons et nous racontons nos histoires, l'Amour, les cœurs, les peines, et nous éclatons toutes les tristesses, plus rien n'existe, que notre élan vers ce que nous avons vécu, vers ce que nous allons vivre, nous habitons l'existence, nous frottant à ses nervures, nous nous emportons, ensemble, vers un monde où naissent les livres, un monde invisible, qui nous protège, un monde où nos sentiments sont des milliers de molécules qui grouillent, comme des insectes autour de la lumière, un monde où tout ce qui déborde de nous, tout ce qui tord le ventre, tout ce qui réchauffe les peaux, forme un autre espace, dense et volumineux, un espace qui n'étouffe jamais, un espace qui s'ouvre vers un autre espace. Et tout est rouge, comme le sang au cœur, comme la violence chaude et bienfaitrice de la vie qui court.

Pour l'éditeur, le principe est d'utiliser des papiers composés de fibres naturelles, renouvelables, recyclables et fabriquées à partir de bois issus de forêts qui adoptent un système d'aménagement durable.

En outre, l'éditeur attend de ses fournisseurs de papier qu'ils s'inscrivent dans une démarche de certification environnementale reconnue.

Ce volume a été composé
par Nord Compo à Villeneuve-d'Ascq
et achevé d'imprimer en mars 2010
sur Roto-Page
par l'Imprimerie Floch
à Mayenne
pour le compte des Éditions Stock
31, rue de Fleurus, 75006 Paris

Imprimé en France

Dépôt légal : mars 2010
N° d'édition : 01 – N° d'impression : 76119
54-51-6188/4